JD
日本を変える
ジョブ
ディスクリプション

岡本佳文

星野ドリームズコーポレーションCEO
株式会社OSM International創業者
米国プロ野球球団オーナー

時事通信社

はじめに――なぜ今、ＪＤが必要なのか

あなた自身の真に意味のある仕事を実現するために、ＪＤ（Job Description：職務定義書）を仕事の中心に置いて、誰もが互いに納得できる透明性をもって、正々堂々、公明正大、理路整然と、是々非々の議論を尽くせる環境が必要である。

その中で共存共栄を目指し、正しい環境下で競争が行われ、切磋琢磨が繰り返される中で、より良い商品やサービスや仕組みが生み出されていく社会に日本を変えていかなくてはいけない。

今、日本に最も必要なことは、このことです。

本書は、今話題となっている「ジョブ型雇用」やテレワークの時代で注目を浴びている「ジョブディスクリプション（ＪＤ）」の考え方と導入の効果を紹介する本です。

読んでもらいたいのは、第一に、これから**専門性を持ってキャリアを構築していきたいと考えている若い人**です。希望に燃える高校生や大学生、意欲ある若い人たちに向けて書いています。

第二に、**すでに専門性を持って仕事に取り組んでいる方々**、例えば、弁護士や公認会計士、デザイナー、パティシエ、美容師、行政書士といった、さまざまな職種において、専門性を持って仕事をしている人です。その中でも、自らの専門性をさらに高めたいと考え、これまでの慣例に取り組むだけでは飽き足らず、新しい仕組み、考え方、アイデアで新しい時代を切り拓く行動力を持つ人たちに向けて書いています。日本の中だけに閉じこもらず、世界に打って出る人を想定しています。

そして、第三に**企業の経営者と人事部の人たち**に本書をぜひ手に取ってもらいたいと思っています。日本の企業を変えることができるのは経営者と人事部だからです。その中でも、後ろ向きの日本流（鎖国的）折衷型ジョブディスクリプションを採用するのではなく、グローバルスタンダードのジョブディスクリプションを採用する勇気と実行力を持った経営者や人事部に期待しています。今ある会社や組織を変えるのが難しいなら、せめて新しい事業部や別会社を興すくらいの気概がある経営者に読んでもらいたいと考えています。

本書のタイトルには「日本を変える」という言葉を入れました。日本の労働慣行や仕組み、働き方や報酬など、私たちが当たり前だと思っている意識を変えていくことがＪＤの導入で可能になると考えています。この意味では、政治家や官僚の皆さんにも本当の意味でのジョブディスクリプションの考え方を理解してもらいたいと考えています。

逆に、本書を読み始めて、ここで語られていることは理想的だ、現実はそんなに甘くないと簡単に諦めてしまう人は残念ながら本書は向いていないかもしれません。

あるいは、うまくいかないことを周りの環境のせいにして、自分にできることは少ない、あるいは自分には何もできないと思う人には、この本で語られることは理解できないかもしれません。

しかし、**本当のあなた自身の仕事に出会うために、ジョブディスクリプションは必要だと私は考えます。**そのことに気が付けば、あなたが何歳であってもどのような経歴を持っている人でも大丈夫です。今日から仕事の仕方を変えてください。

世界基準での仕事の流儀や仕組みはいずれ日本にもやってきます。会社や組織に自分の人生を預けた結果、どこかの段階で後悔したり、もっと別のことを早めにやっておけばよかったと思う時が来るかもしれません。そうならないために、ぜひジョブディスクリプションの考え方と効用を知ってもらいたいと考えます。

今、ジョブディスクリプションの導入に真剣に取り組まないと、日本は世界から遅れて、この先、どんどん衰退していきます。そのことが分かっている人たちはたくさんいます。**これまでもチャレンジ精神と旺盛な積極性を持ち、スペシャリスト志向を**

持つ優秀な人たちは日本にたくさんいました。かつては日本の進取の精神、先進性が世界から注目されていました。今はどうでしょうか。

若く意欲のある人たちは、既存の会社や組織に見切りを付けて、今後、海外に目を向けて出て行くでしょう。

私は、アメリカや日本で会社を立ち上げ、これまで若くて優秀な多くの人たちと共に仕事をしてきました。**私が出会った彼らは、自分の夢や能力をさらに大きな場所で試したい**と、新卒で入社した日本の一流の会社を辞めて新しい道を選択した人たちです。今では公認会計士、弁護士など、さまざまな分野で、自らの専門性を磨きながらスペシャリストとして活躍しています。

日本で新卒一括採用された会社に入社した後、彼らの多くが直面したのは、本人の希望や能力や可能性をあまり考慮しない人事制度でした。長らく、その会社に勤め続けることで、「会社内のゼネラリスト」にはなれるけれども、社外で通用するスペシャリストとはなり得ない道。かつての高度経済成長期や、その後の低成長ではあるけれども雇用は守られていた時代はそれで済まされていたかもしれません。

しかし、この先、**少子高齢化が急速に進み、毎年、日本の国内市場が縮小する中で、多くの内需型産業は立ち行かなくなります。**そして簡単に先送りされた国の莫大《ばくだい》な借金は若い人たちに重くのしかかっています。この先の見通しは明るくありません。

そのことが分かっている20代、30代の優秀な意欲ある若者たちは、先行きが見通せない中、展望がない古い会社や組織から離れて成長産業へと抜けていきつつあります。若い人たちや、これから仕事に意欲的に取り組もうという人たちが、日々の息苦しさや、非合理的な判断や決定に直面して、自らの才能を生かすために、新天地へ向かうのは当然の流れです。

今、停滞している会社の多くは、悪い意味で既得権益を持ち、仕事をしていないのに報酬を得ている人が得をする構造になってしまっているのです（後述しますが、私は仕事への貢献と報酬が一致すべきだと考えています。そして、その報酬の源泉となるのは、商品やサービスを購入してくれる顧客からの支持です）。

ＪＤは仕事の内容とその仕事に取り組むべき人を明確にします。

また、仕事に貢献すれば報酬も得られる仕組みを示します。

ＪＤの導入によって無駄な仕事をなくし、不要な忖度や不正をなくし、取り組むべきことを明らかにします。ＪＤは、日本の仕事の仕方を変えるのです。

２０２０年に世界中でコロナ禍が起き、現在もまだその混乱は続いています。人々の移動が制限される中で、テレワークが積極的に導入されるなど、これまでなかなか進んでこなかった「働き方改革」が急速に進みました。仕事をする場所や時間を制限するのではなく、**仕事の成果を基準とする「ジョブ型雇用」への転換は今後、さらに進むでしょう。**

「ジョブ型雇用」は、私たちの働き方を抜本的に変えていきます。

そこでは、**真に成果のある仕事、生産性を正面から見据えた仕事が求められます。**

これまで私たちは、無駄のない仕事、より効率的な仕事に取り組んできたでしょうか。周りを見て、これは要らない仕事ではないか、無駄な仕事ではないかと思うことはありませんでしたか。

仕事とは本来、無駄を排し、常に改善を重ねて、今日より明日、明日より明後日に向かって、より良いものにしていこうと工夫すべきものです。

しかし、こうした当たり前のことも、時代に合わないのに変えられることなく続けられてきたり、慣習、不可解なルールなどによって、本来取り組むべきことが曲げられてしまうことがありました。**ローカルルールが強いために正しい競争が行われず、進歩も発展もせずに残ってしまった会社、組織、業界が残念ながらあります。**コロナ禍はそのこともあらわにしました。

本書では、日本とアメリカで3社を立ち上げ、ビジネスを継続してきた中で私が得た経験からＪＤを説明します。ＪＤは、仕事を定義するとともに、仕事の評価・検証にも必要なものです。

今、この本を手に取っているあなたは、**自分の仕事を俯瞰《ふかん》的・総合的・具体的に説明できますか。**また、仕事に対しての貢献に見合った報酬が得られていると思いますか。

私は、今の日本で一生懸命素晴らしい仕事をしている人がたくさんいることを知っていますが、あまりにも低賃金に抑えられていることに憤りも覚えています。**ＪＤの原理の一つは貢献〔Contribution〕と報酬〔Compensation〕は同等であるという考え方（C＝C）です。**ＪＤの導入はあまりにも低賃金に抑えられている報酬を上げるきっかけにもなります。

ＪＤはあらゆる職業で使えます。

政界や官界、スポーツ界、ビジネス界。これらの世界で責任と能力が求められるポストに適任といえる人は就いているのでしょうか。**ＪＤがあれば、仕事の目的と成果、責任がはっきりと書かれているので、そもそも不適切な人がふさわしくないポジションに就くことはありません**し、そのポジションを守るための不祥事は起きなくなります。

本書の第1章では、なぜこれほどまでに私がＪＤを重視すべきだと提言するのか、その理由とＪＤの背景となる考え方、ＪＤを導入する効果について説明します。

第2章ではＪＤの作り方やそこで重視される観点を説明します。ＪＤとは何かについて知りたい方はまず第1章と第2章からページをめくってみてください。

第3章では外資系企業での経験がある人たちとＪＤをめぐる実際のところをＪＤをよく知る人との対話を通して探ります。日本の仕事の仕方とグローバルスタンダードの違いを具体的に知りたい方はぜひ第3章から読み始めてください。第3章は私の信頼できる友人たちとの対話です。今、日本の会社がＪＤを導入しなくてはいけない理由が明確に語られています。

第4章は私自身の職務経歴について書きました。ＪＤについて語る筆者である私はいったいどんな人物なのか知りたいと思った方はこちらからお読みください。ここでは、私自身のＪＤとの関わり、ビジネスをどう創り上げてきたかを説明します。

最後の第5章ではＪＤをめぐる希望をお伝えします。

私は今の日本社会について、多くの人が今のままではダメだ、変わらなくてはいけないと真剣に考えていると感じています。

その解決策の一つがＪＤです。

本書を通じて、仕事について根本から見直し、特に若い人たちに希望をもって、日本の社会で活躍してほしいと心から願っています。

岡本佳文

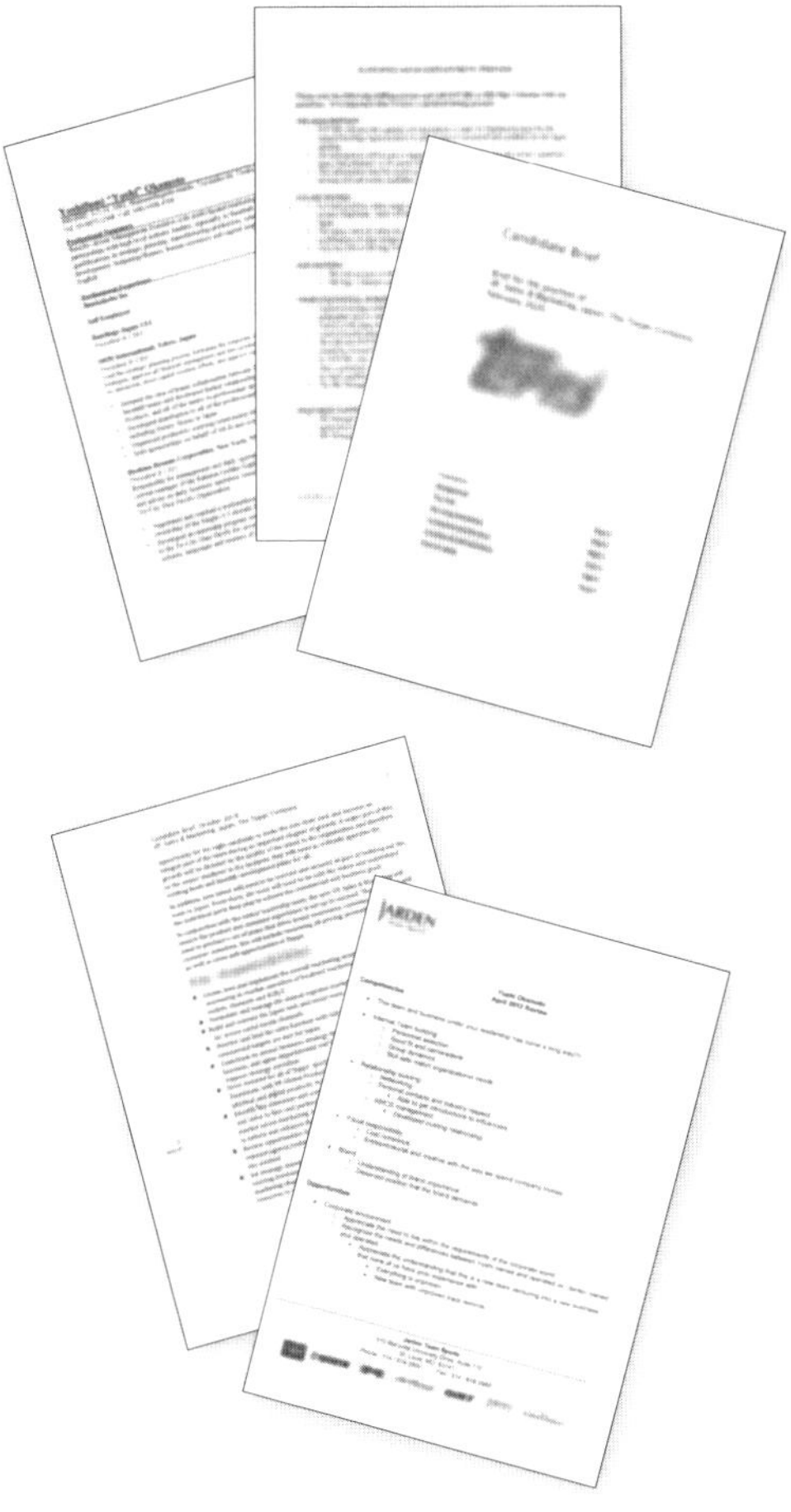

私のJDです。この書類に書かれたことと向き合って仕事をしてきました。

ＪＤ　日本を変えるジョブディスクリプション

第１章　仕事を再定義する――ＪＤの考え方

第2章 JDの具体像

第3章 JDをめぐる対話

第4章 私のJD アメリカでのビジネス経験

第5章 若い人たちに伝えたいこと

第1章　仕事を再定義する―JDの考え方

JD（Job Description）とは何か

JDとは、新規雇用や中途採用の際に使われる、業務範囲・内容、業務の進め方、**責任と権限などが書かれた書類**です。

具体的になぜこの仕事が必要なのか、仕事はどの顧客に向けられたものなのか、ポジションに求められる責任と権限、仕事を実現するために必要な経験やスキル、そして達成すべき「ゴール」、そして、貢献（達成度）への報酬などが書かれています。

JDは人を募集するための求人票ではありません。求められる能力や成果が抽象的な言葉で書かれた能力表や考課基準表とも違います。単なる仕事の進め方が書かれたマニュアルでもありません。

そこには、ポジションに求められる目的や達成すべきゴールが、**抽象的な言葉ではなく解釈の余地がない形で明確に書かれています。**これは報酬と連動しているので、簡単な仕事には報酬としてはそれほど高くない金額が設定され、高度な職には高額な報酬が紐付いています。

日本にはこれに相当するものがない企業が多く、今後のジョブ型雇用・勤務体系の構築に合わせて導入が検討されています。

これまで日本の企業の多くは、新卒一括採用・年功序列・終身雇用の体系で総合職・一般職等の採用をしてきました。このとき、雇われる側が行っているのは「入社のための活動」であり、自分にとって魅力ある特定の会社に入ることが目的になりがちでした。**これは「就職」ではなく「就社」です。**

近年は、大学も学生の就職活動の支援に力を入れています。

本来は「就職」という言葉が示す通り、専門性のある特定の職種に就くことや、その基盤を大学時代に培うことを支援すべきなのですが、実際は、どの「会社」にどれだけの人数が入ったのかという「就社」の成果を気にしているところが多いようです。

かつて一流と呼ばれていた商社に何人入ることができたかを今、変化の激しい、この時代においてさえ、気にしている大学があります。

多くの日本企業では、入社後、「人事異動」によって社内でさまざまな仕事を経験します。その中で適性のない仕事に回されても、そこでしばらくは頑張ることが良しとされてきました。実は**人事異動という考え方も日本独特のもの**であり、社内で汎用性の高い仕事ができるゼネラリストを作り上げることが目指されてきたため、社外に対して競争力を持つスペシャリストを育てることにはつながりませんでした。

人事異動には問題点があります。それは**本人の資質や能力や意思とは関係のない、適性のない仕事に会社の都合によって回されることがある**ことです。これは働く人にとって良いものではありません。自分が楽しいと思えない仕事、一生を打ち込むに値すると思えない仕事に従事することは、自ら工夫を重ねて生産性を上げようと思えないことが多いからですが、それ以上に会社にとっても実は損失です。

より良い人材、経験や専門性を持つ人を充てた方が業績は上がり、課題も解決するはずなのに、これまで、なぜそうしてこなかったのでしょうか。なぜ会社や組織にとって、また、働く人たちにとっても良い形ではない仕組みが今まで継続されてきたのでしょうか。

私は、**会社や組織で働く人は全員「専門職」として採用すべき**だと考えています。社外からも求められるようなスペシャリストを抱えている会社だけが継続的に発展することができ、社外との競争に勝つ力を保つことができるからです。

人事のスペシャリスト、販売のスペシャリスト、マーケティングのスペシャリスト、経営のスペシャリスト。働く側もまた、自らの将来展望と目的意識を持ち、卓越した技術を志向してキャリアを構築していくことが大切です。そのようにして、人は専門性や自分の強みを構築し、より高いステージに立ち、人生を充実したものにしていきます。

これまでの日本では総合職・一般職採用と比べると専門職を採用することが相対的に少なかったためか、社内外で通用する専門職の職務内容を記述した書類（ＪＤ）がそれほど作られてきていません。そして、一部の専門職を除いて、会社横断的な、転職の市場が成熟した専門職の領域もできていません。

なお、年度末等の評価のために使われる評価基準等を定めた文書を運用している会社は多くありますが、ほとんどの場合、世界基準でのＪＤとは設計思想や構成内容や前提となる条件、実際の使われ方が異なります。

また、**日本の評価基準はそもそもあいまいな表現が多く、評価者の主観的な判断が評価に入りやすいため客観的なものではありません。**そこから会社が求める仕事の内容と働く側の意欲や能力、目指す方向性のミスマッチが生じて、適正な評価にはならない構造があります。

ＪＤは透明性の下で公正明大な運用が必要であるため、評価基準や評価項目が明確であり、評価者、被評価者、また、他部署の人、社外の人が見ても透明性があり、誰にとっても納得がいく形でなくてはなりません。そうした**公正性が担保されて、転職や人材流動が適切に行われている業界は日本ではまだそれほど多くはありません。**

ＪＤには何が書かれているのか

ＪＤには一般的に、仕事の職階（職種）、仕事の目的、業務内容、業務遂行のために必要な経験・資格・技能、達成すべきゴール、報酬等が記述されています。

それではまず、私のＪＤの例をお見せしましょう。これは経営者として雇用される際のＪＤの例です（守秘義務もあるので一部、改変しています）。

外資系企業のＪＤを見たことがある人はその具体的な内容、求められるゴールや達成度への厳しさに驚いたと思います。何よりＪＤは誤解の余地のない言葉で書かれることが一般的です。

◎ある会社に雇用された際のＪＤの例

【背景】

会社の沿革・歴史、理念、事業部門の紹介。主要商品やサービスの説明。

↓ここには、職やポジションの基盤となる哲学や価値観、理念などが端的に書かれています。ここに書かれた基本理念を大切にすることが求められます。

【役割】

会社が被雇用者に**求めている役割**（この時は経営者として雇われました）。

会社が今後何を行う予定で、そのために**達成すべきゴール**は何か。

↓社長、部長、課長といった職階が書かれますが、同時に、そこで求められる役割が具体的に書かれます。「社長をやってください」ではなく、例えば、日本に新しいオフィスを開くので、そこの最高責任者としてブランド構築、市場開拓、販売を行うとともにそれを支えるチームを作り上げること、といった内容が文章で示されます。

【責任】

・アジア・日本におけるすべての販売戦略立案を創造し、けん引する。
・予算管理と効果的な執行を行う。
・広報用ＷＥＢとＳＮＳを新しく構築する。
・中長期的な販売戦略を作り上げる。
・社内全部門の活性化を部門長と共同で行う。
・顧客を分析し、より効果的な市場を見つけて入り込む。
・関連する業種の分析と効果的な連携を作り上げる。
・データ分析に基づき、効果的な戦略に沿った新しい販売領域を提案する。
・優秀なスタッフの採用。

↓具体的に求められる内容が書かれます。

【求められる資質能力と経歴】

・15年以上の実務経験。そのうち、日本と米国両方での経験が必要。
・取締役以上の職制で新規事業開発に従事したことがあること。

・主幹業務に柔軟な態度で取り組み、顕著な実績を成し遂げた経験があること。
・予算管理、採用、人事、渉外業務、交渉の経験があること。
・挑戦的な業務に取り組み、豊富な知識と経験でタフな交渉ができること。
・顧客の方を向き、ブランドの価値を高め、他領域にも目配りし新しい商品を生み出せること。
・地域横断的な存在感のある強いブランドを構築できること。
・大きなアイデアと情熱を持って革新的な思考を続けられること。
・前向きかつ創造性と自信を持ち、熱意を持って自分を鼓舞し続けられること。
・強いプレッシャーの下でも業務を遂行し、納期を厳格に守ること。

かなり具体的に書かれていることが分かるかと思います。

もちろん、このように具体的に書かれて**達成すべきゴールが明確な分、厳しい仕事に向き合うことになります。**そのためにＪＤには報酬が明示されており、職責が厳しいものであればあるほど高額な報酬が用意されます。逆に誰でもできるような、いずれは機械やＡＩに代替されて自動でこなしてくれるような仕事はいずれなくなるか、人間がそうした仕事を担うとしても報酬は低くなっていくでしょう。

なぜＪＤが今の時代に必要なのか

コロナ禍においてテレワークが積極的に導入され、雇用される人の評価をこれまでとは異なる形で見ていく必要が生まれています。

これまでは、毎日、会社に来ているだけで、あたかも仕事をしているかのように見えていた人は周りにいなかったでしょうか。職場に出社して、業務時間内は同じ場所で仕事をしているために、「あうんの呼吸」で、誰が何をしているかが把握できているように感じられていたかもしれません。しかしそれは**働く人が担う職務を意識して、主体的に仕事を創り上げる仕組みになっていたでしょうか。**

テレワークでは、社員が皆、同じ場所で仕事をしているわけではないので、誰かの示唆や管理に頼ることなく、**仕事が自分ごととして取り組まれ、成果が自動的に上がるようにしていかなくてはいけません。**これが「ジョブ型」の仕事の要件です。

ジョブ型人事制度では、求める役割・成果・スキルを具体的に示したＪＤに基づいて人材の採用と評価が行われます。職務範囲や評価基準が明確なために、物理的に離れて仕事をするテレワークと相性が良いとされています。

成果主義が日本に根付かなかった理由

ジョブ型人事制度は成果主義と同じように考えられていることがあります。

日本企業でも成果主義を取り入れようという動きが、１９９０年代から２０００年代前半にありました。大手企業も一時期、積極的に成果主義を導入したのですが、その後、大幅な軌道修正や見直し、あるいは撤廃を余儀なくされました。

継続しなかった理由は、欧米流の個人主義的な職務構成が、年次やポジションの履歴を重視する日本の組織や文化になじみにくいものであったこと、さらには売り上げといった数値以外で評価することの難しさが挙げられます。そのため、評価の納得感が得られなかったり、間接部門など成果を上げにくい、成果が見えにくいところの適切な評価ができなかったりしたこともあります。また、日本では、業績が下がったからといって簡単に解雇がしづらい法制度になっていることも挙げられます。さらに日本のこれまでの会社や組織は、柔軟に人材が入れ替わっていくことへの忌避感もあったと思います。

日本的な総合職・一般職の新卒一括採用と年功序列、終身雇用の仕組みは、ＪＤが前提とする、**すべての職が専門職であり、職に就くこととキャリアアップがセットになっている仕組みや考え方とうまくかみ合わない**ところが確かにあります。

一方で、成果主義が日本に根付かなかったのは、ＪＤがなかったからだと言うこともできます。このことは、評論家の竹村健一さんと経営労務コンサルタントの玄間千映子さんの著書（『リストラ無用の会社革命 ジョブ・ディスクリプションが雇用を変える』太陽企画出版、２００３年刊）でも述べられています。

それでもコロナ禍前までは、これで何とかやれてきました。

しかし、コロナ禍後は、会社も組織の在り方も一気に変革を迫られます。

もはや日本的な新卒一括採用、年功序列、終身雇用といった慣行を会社自身が支え切れなくなってきています。急激な業績悪化に伴い、リストラ・解雇を開始する会社も出てきました。

一方、**ＩＴ企業をはじめ、勢いのあるスタートアップ企業や世界基準で闘わなくてはいけない企業では、ＪＤの考え方はなじみやすい**ものだと思います。

成長産業と衰退産業、仕事と作業の違い

ＡＩが今後導入されると、「仕事」は残りますが、「作業」はなくなります。作業は自動化・機械化されていきます。工業分野、農業分野、サービス分野、さまざまな分野で人の手で行われてきたことが機械に置き換わってきました。その方が効率的で便

利だからです。

今後、定型業務をビッグデータの形にして分析・プログラムできるような単純作業や定型的作業は、ＡＩにどんどん置き換わっていきます。人は、自動化できないようなスキルを身に付けてそれを意識的に伸ばしていかないといけません。

働く人は、**これまでのようなゼネラリストを志向するのではなく、それぞれの専門性や深さをもっていないといけない時代が来ています。**これからはスペシャリストの時代なのです。

企業にも浮き沈みがあります。とても勢いのある時期とそうではない時期があり、「企業30年寿命説」が唱えられます。つまり、改革なくして安泰な企業などはないということです。

成長産業には魅力があり、優秀な人がたくさん集まります。

報酬（給料）も高く、そこに魅力を感じた人が集まってくるのは当然のことです。

そうした業界はこれまでたくさんありました。

その逆もあります。**衰退産業からは若い優秀な人からいなくなっていきます。**これは時代とともに変遷します。かつての人気業界が今はそれほどでもないということは皆さんも知っているのではないでしょうか。

成長産業にはシナジー（Synergy：相乗効果）が起こり、衰退産業にはアナジー（Anergy：マイナス効果）が起きます。部門間であら探しや足の引っ張り合いが始まるのは衰退産業の特徴です。

ＪＤがあれば、アナジーが生じないルールメーキングができます。仕事の内容をＪＤに落とし込んで、何をしなくてはいけないか、何に取り組むべきかを精査するのです。そこではやるべきことが明確なので、他人のあら探しや足の引っ張り合いをする余地はなくなります。

互いに、かつ誰にでも見られる形での透明性を担保した上で、きちんと評価につながる基礎的な資料としてのＪＤが必要です。

C＝Cの原則（貢献〈contribution〉と報酬〈compensation〉は同等）

私は、C＝C（貢献と報酬の一致）が大切だと考えています。この考え方は本書の中で、これから何度も出てきます。

仕事が正当に評価され、適切な報酬を得るのは当然のことです。

しかし、これが実はまっとうには行われていません。本書を読んでくれているあなた自身のこと、あるいはあなたの同僚や、上司や部下のことで不満を感じたことはありませんか。

あの人は、仕事以上の給料をもらっている。あの人は、よく働いているのに、それほどの給料をもらっていない。いろいろなことを感じていると思います。

そして、その疑問はまっとうなものです。

ところで、あなたの給料（報酬）はどこから出ているか、考えたことはありますか。

あなたの給料は、ビジネスの相手、商品やサービスを買ってくれている顧客から支払われているものが原資です。あなたが公務員や政治家であれば、それは国民が負担している税金から支払われているものです。

いずれも、あなたの仕事によって報われている他の人々が、あなたが生み出す商品やサービスに対して対価を支払っています。

私は、今の日本は、特に真面目に働いている若い人たちの給料が低すぎると考えています。米国と日本の間を３００往復してきた経験の中で日米を比較すると、これだけの仕事をしているのであれば、もっと給料をもらってよいのではないかとも感じることが多々あります。


日本にいる時によく使う有名なホテルで働いている若い人と話をした時に、私は彼らの月収の手取り額を聞いて驚きました。有名四大卒27歳の人で手取りが月収17万円。専門学校を出ている人は23歳で手取りが月収14万円でした。これはつい最近のことです。日本の皆さんは、これで当たり前だ、これくらいしかもらえなくても今は当然だと感じているかもしれませんが、**もっと怒るべきです。また、自分の仕事に誇りを持って稼げる仕事に向かうべきです。**とても一生懸命に丁寧な仕事をしているのに、それに見合った報酬を得ていないと私は憤りを感じました。

そのホテルでは、重い荷物を運ぶ場所に華奢な女性が配置されたりしたので、そのことにも憤りを覚えました。外国の高級ホテルでこのようなシーンは見たことがありません。顧客の重い荷物をしっかりと安全に運ぶことができる力のある男性が配置されていることがごく普通です。**日本の会社や組織においては、職の在り方がその内容と見合っていないのです。仕事についてきちんと考えられていない**と思わざるを得ません。

日本ではレストランで出てくる食事の質は高いし、美味しい。日本だけで生活をしている人はあまり感じないかもしれませんが、米国と比べると、この値段でこういうものが食べられるのかと感動します。米国では、ちょっとしたものを外で食べたら、それなりの値段を支払わなくてはなりません。

しかし、そのようにモノの値段が適正に付けられているからこそ、働いている人の給料もＪＤに基づいて、適切に支払われています。必要な仕事に、必要な報酬が付いてくるからです。そうやって経済は回っているのです。経済は回らないけれども大切な仕事が「公務」です。公務は皆にとって大切なので、国民全員が負担する税金でその仕事が賄われています。

2020年からのコロナ禍で、医療従事者が懸命に働いているのに給与カット、報酬カットになっていることにも私は憤りを感じています。**社会を維持し、人々の命を守る職に就いている人たちには、もっと正当な評価と報酬があるべき**です。

あなたの給料は上司や経営者が決めるものではありません。あらかじめ、定められたものでもないのです。

あなた自身がしっかりと働いている分は、その報酬として適正なものとなっているでしょうか。ぜひ周りを見てください。できれば国内だけではなく国外にも目を向けてみると、あなたが本当に努力をすべき先が見えてきます。

共存共栄を目指し、競争することでシナジー効果が生まれる

ＪＤで優秀な人材が集まれば、そこから良い商品やサービスが生み出されます。ま

た、優秀な人材は互いを認め合い、そこには相乗効果が生まれます。これがシナジー効果と呼ばれるものです。

シナジー効果とは、互いが刺激し合うことができる信頼関係から生まれるものです。たとえ競争相手であったとしても利害が合えば手を組み合える存在でもあるので、この考え方はとても大切です。ちなみに、**敵を徹底的に叩き潰すのは戦争だけ**です。ビジネスにおいては競合相手がいても、それは時には手を組める相手であり、必要に応じて一緒になる（合併）こともあります。競争相手は叩き潰すものではありません。

私はアメリカでウォルト・ディズニー・カンパニーの子会社で働いている時に「ディレクター・オブ・シナジー」という職種の人がいることを知って驚きました。いったい何をしている人なのだろうと、最初は疑問に感じました。その本人と実際に会って分かったのですが、彼は社内の部門と部門、人と人を結び付けて、新しい価値を生み出す仕事をしていたのです。

会社や組織は大きくなってくると、社内、あるいは社外とのシナジーが必要になってきます。高校野球とプロ野球を例に挙げてみましょう。

高校野球の夏の大会は、全国の高等学校の野球部に、大きく明確な目標をもたらしました。「甲子園に行く」という言葉は、日本国民全員がその意味を知っていると思います。野球をしている人が誰もが憧れる目標でもあります。そこには努力や汗や涙といったドラマと共に語られるイメージがあり、主催である新聞社やテレビ局も夏の風物詩として試合を全国に伝えてきました。ここでは高校野球と主催や協賛の会社との間でシナジー効果が生まれていました。

プロ野球もまた、日本の高度経済成長の波に乗って、鉄道会社や新聞社等、球団の親会社にシナジー効果をもたらし、収益としてもプラスの良い影響をもたらしてきました。

しかもプロ野球は、かつては日本国民全体に夢を与えるものでもあり、多くの国民はひいきの選手や球団に自らの夢を託していました。実際に球場に駆け付けたり、テレビのブラウン管を通して、野球選手に夢中になっていたりしたわけです。私が尊敬し、現在もとてもお世話になっている王貞治さんはまさにそうしたスターの一人でした。

シナジーの反対語は、アナジーです。

アナジーとは、事業と事業の間に生まれるマイナス効果のことです。

意思決定が遅れたり、社内においても部門同士で足を引っ張り合ったり、異なる文化が生まれて、お互いに敵視し合うようなことです。衰退する会社、衰退する組織はこのようにシナジーではなく残念なことにアナジーが生まれていることが多いのです。

ＪＤがあれば、何に向かって仕事をしていくべきかがはっきりします。

そこでは**正しい競争原理が働き、同僚の足を引っ張り合うことで相対的に自分の立場を上げるのではなく、達成すべき目的に向かって、互いに協力できることは協力して、ウィンウィンの関係を構築するシナジー効果**が生まれます。

ＪＤがあれば、不毛な争いがなくなります。

そうはいっても、最後は人なのではないか、意地の悪い人がいるとシナジー効果なんて生まれないのではないかと思われるかもしれません。

目標がしっかり定まって、そこに向かうことが明確であれば、先に触れた通り、敵とであっても、戦略的にウィンウィンの関係を構築することができます。たとえ、相手が嫌っている人であっても、その人が持っている人脈や経験、知識などが活用できて、自分と相手の両方にとってメリットがあるなら、手を組むことができるし、そうすべきなのです。

正しい競争においては、競争後は良き友人になれます。まさに「ノーサイド」です。競う相手は殺し合う敵ではありません。

競争相手と手を結ぶまでいかないとしても、相手のことも考え、自分の仕事を高め、周りの成長も願うような人材育成を図らない会社や組織は、そもそも持続的に発展することはありません。

プロゴルファーのタイガー・ウッズの言葉を思い出します。自分と一緒にプレーしている競争相手のバーディーパットを「入れ！」と心の中で願い、入ったらおめでとうと祝福し、自分も入れるぞ、頑張るぞ、と思っていたのだそうです。これが共存共栄で切磋琢磨をすることです。

今、ＤＸ（デジタルトランスフォーメーション）が盛んに言われています。ＤＸが進むと、**次に必要になるのはＤＸを戦略的に使いこなす人**です。

ＤＸはあくまでも仕事の効率性や便利さを高めるための「道具」であって、使いこなすことが手段であっても目的ではありません。仕事は人が行うものであり、そこには取り組むべき仕事が明確に定義されているＪＤと、ＪＤによって保証されるＣ＝Ｃの原理があり、私たちはそこを見失ってはいけません。道具に振り回されてはいけないのです。

問題はすべて人に還っていきます。そこで問われるのは、仕事と向き合うあなたがどのような人であるかということです。

では、優秀な人とはどのような資質や能力を持っているのでしょうか。

ゼネラリストではなくスペシャリスト

日本の最高峰の頭脳を集めていた「霞が関」。日本の将来を見据え、今何をすべきかという針路を定め、実行していく国家公務員が仕事をしている場所です。

かつては各省庁には国のために役立ちたいという優秀な人材が全国からやって来ました。総合職という形で毎年採用され、優秀であるがゆえに、２年前後でさまざまな仕事を経験していきます。しかし残念ながら、この人事制度は今の時代においては時代の速度と高度化に見合っていないという意味で、硬直化している最たる仕組みではないでしょうか。

実際、国の役に立ちたいと思い、いったんは各省庁に就職しながら、数年で辞めていく人たちは近年増加する一方です。旧態依然とした人事制度に希望を見いだせない優秀な若者が、日本を支える大切なはずの公務から外れて、別の進路を選択しています。これは大きく見れば日本全体にとっての損失です。

私が特に古いと思うのが、この変化の激しい時代に、事務次官が「上がり」となるゼネラリストを作る人事制度を採用していることです。

よく知られているように、公務員、その中でも「キャリア」と呼ばれる幹部候補の国家公務員は、ほぼ2年おきに「人事異動」によって新しい仕事に就き、前任者の仕事を踏まえて、その時々の課題に当たり、法律を作り、予算を確保して、目の前の課題に果敢に取り組んでいます。

その中では、各省の課長級を先頭に補佐・係長・係員が一体となって、各部署における最重要テーマに本当に一生懸命に取り組んでいます。その仕事ぶりは賞賛に値します。

しかし、その課長も数年たつと「人事異動」で次の仕事へと移ります。

これでは**本人にも、政策においても、良い意味での一貫性は生まれません。**いくら優秀とはいえ、**常に「付け焼き刃」の知識と経験で、悪く言えば「無難に」仕事をこなすことになりがち**です。

果たしてこの仕事は諸外国との競争で太刀打ちできるスペシャリストのものとなっ

ているのでしょうか。また、そうしたグローバルな環境において闘える政策上のスペシャリストを日本は養成しているのでしょうか。

本当は、その行政分野について深い知識と経験を持つ人が継続的に業務に当たる方が、現在のような課題山積の日本においては、有益なのではないかと思います。

ゼネラリストかスペシャリストかを考えるために、国家公務員の例を挙げましたが、私は、これからの時代は公務員のみならず、民間においても同様で、**スペシャリストとしての気概とスキルを持たない人は、職業人として成功するのは難しい**と思っています。日本がこの先、鎖国するなら別ですが、世界との競争に勝てるのだろうかと心配になります。

霞が関に準じるかのように、日本の大手企業でも、これまではゼネラリストを作ることが目指されていました。東京大学卒を何人確保したかを気にする人事部などが、その典型例です。しかし、この形はもう時代に合っていないのではないでしょうか。

プレーヤーとマネジャー

これは、野球で言えば、「プレーヤーかマネジャーか」という問題にもつながります。野球選手として実績を持つ人を引き上げて、コーチに、やがて監督にしていくことが一般的に行われていますが、これは正しいのでしょうか。**選手として活躍する能力と、自分とは異なる才能を持つ選手を生かし、育てて活用することは別の能力です。**

自分には選手としての力がなくても、科学的なトレーニング法や、選手個人に合ったトレーニングプログラムや、メンタルトレーニングを行い、効果的に選手を育てることができる人が昨今では活躍しています。

球団経営も、かつては親会社などから派遣されてくる人たちが経営を任されていましたが、米国ではスポーツビジネスに通じた経営者が、現場の実態を踏まえて効果的かつ科学的なビジネスを展開することがごく普通に行われています。この人たちは、何よりも経験があり、理論についても通暁したプロフェッショナルです。

現役時代に活躍した選手で、例外的に良い監督になる人はいますが、これは、自分を突き放して、客観的に見る力がある人だからこそできることです。自らを知り、また相手のことも知ることができる人は、それほど多くはありません。教えることと、プレイすることとは別物です。「名選手、必ずしも名監督ならず」という言葉もあります。

選手としては華を見せなかったが、コーチ・監督になって見事に咲く人もいます。苦労しているからこそ、普通の人には見えないところが見えたりするわけです。そこにコーチとしての真価、監督としての凄みが生まれてきます。

野球の九つのポジションのうち、一番頭を使い、知恵を絞って考えるのは、キャッチャーです。その次がピッチャーです。意外と外野手は考えないものです。例外はいますが、キャッチャーと比べれば、圧倒的に少ないです。

名監督はキャッチャー出身者に多い印象があります。苦労した人は、自分も試行錯誤したり、できないことや分からないことを知っていたりするから、指導する際の厚みが増します。

プロフェッショナルは、経験を積み、そこから考えることを絶えず行っています。ここには**一貫した職務経験と、継続する問題意識**があります。

スポーツ界は特に、科学的な理論ではなく根拠のない「気合と根性」で物事を説明しがちです。さすがに少なくなってきたとは思いますが、富国強兵を目指した明治時代の軍隊が採用していた訓練の延長線上にある、しごきの精神でトレーニングをしている練習がかつてはありました。学校の教科である「体育」にもそういう考え方があったかもしれません。罰則で走らせる。理不尽な理由でひたすら走り込ませる。いったい、それで本当に選手の力が向上するのでしょうか。

今は感覚で物事を進めるのではなく、科学的な根拠とデータを持って示せることができる時代です。より良いトレーニング法やより良い方法を採用するべきでしょう。

さらに言えば、外からやらされる、自分からやろうと思う、どちらが良いでしょうか。

何事にも、適材適所があります。

計算できない人にお金を扱わせてはいけませんし、口下手の人は営業には向いていていないでしょう。
公務員も会社員もどんな組織でも採用してから、その人をどう使うかを考えています。人事も、今いる人たちにどういう仕事を充てるかで汲々としています。これはおかしいのです。

仕事を基準に、そこに「最も適切な人をどうはめていくか」を考えないといけないのです。特に、仕事の変化のスピードが速い時代は、それが求められます。

このことを突き詰めていくと、公務員においても、民間の会社も組織も、あらゆる組織でゼネラリストではなく、スペシャリストを雇わないといけないことが分かると思います。

競争原理が働く所で、正しい切磋琢磨を

ＪＤが明確になれば、仕事の側から考えて、その遂行のためにベストな人を選ぶことになります。**仕事が基準となるので、それを担う人の年齢や性別、宗教、肌の色、**

学歴、体格、家柄などは関係なくなります。コネクションやおかしな忖度が効くような余地もなくなります。

逆にＪＤがないと、人事において能力とは関係なく、人間関係などでその人のポジションが決まったり、好き嫌いといったレベルで人材を選ぶことになったりしてしまいます。その結果、**組織は停滞し、正しい競争も行われないため業績も下がります。**

ＪＤを基にした採用や人事を行えば、女性は出産・育児で職場を離れるから採りたくないという話には決してなりません。入り口が公正明大になれば、互いを尊敬しながら、良い競争が行われて、そこに切磋琢磨が生まれます。周りの人たちの足を引っ張るのではなく、正しい場所での切磋琢磨だからこそ、上に上がっていくことができるようになります。そこで初めて、グローバルな競争に参入することができるのです。

ＪＤで日本の社会が変わります。今、多くの国民が理不尽で不透明だと感じている、不合理的な構造がＪＤで解消されます。その職にある人が持っていてしかるべき資質や能力、責任感、倫理があるべきなのに、そうではない組織のトップがいませんか。

ＪＤは自浄作用が働く機会となります。社長、部長、課長などの、その職にある人はどういう仕事をするべきなのか。このことを検討することで、要らないものは要らない、必要なものは必要だということが明らかになります。

ちなみに過去25年、日本の消費者物価指数はほぼ上がっていません。ＩＭＦの調査によれば、１９９８年の日本の消費者物価指数を約１００とすると、２０２０年は約１０２です。ほぼ上がっていないのです。そうした中では、日本の名目賃金は実質的に下がっているのではないでしょうか。

切磋琢磨できる正しい競争環境を

一度、その仕事に就いた後は、そこに正しい競争があれば、どういう属性や経歴であっても、実力で評価されることが大切です。そこには男性も女性も人種も年齢も関係ありません。出口である評価はＪＤを前にして、どれくらい達成できたか、期待されたことが本当に実現できたかで**透明性を持って公正に決まります**。

その意味で、ＪＤは仕事の仕組みそのものでもあります。仕事について書かれた単なる書類ではあるけれども、この運用に誰もが納得できる透明性を持ち込むことで、仕事が明確に定義され、私たちが何に向けて働くかが具体的になります。

これは、よく会社や組織で言われるような「目標数字の達成」といったものではありません。その目標となる数字を達成するために何が必要なのか、もっと言えば、数字をなぜ達成しないといけないのかというところから、しっかりと掘り起こしていく必要があります。

会社や組織の目的。なぜこの会社や組織があるのかを皆さんは考えたことがありますか。必ず**会社やその組織には理念や使命があります**。その会社が大切にしている価値、創業時の思い、そうしたものが強ければ強いほど、継続される良い会社となります。その会社の価値や理念に沿って、事業が組み立てられていきます。

個々の事業もまた、社会との関係で適宜、組み替えが行われます。社会インフラ、世間的価値などが変われば、当然、仕事の組み立て方も変わります。

仕組みがしっかりしていれば、目指す場所、戻る場所がある。

それがＪＤです。

ＪＤは評価にも有効に使えます。

また、人事はＪＤを使いこなせる人が行わないといけません。

なぜなら組織は人がすべてだからです。**良い人を採用していかないと組織は正しく回っていきません。**日本の企業は、これまで新卒一括採用、年功序列、終身雇用という形で来てしまったので、一度採用してしまった人をどう扱うかばかりを気にして、仕事から人を考えるということが上手にできませんでした。

一度、ぜひＪＤを使って、人を雇ってみてください。

結果としての平等ではなく入り口の平等を

もう一つここには重要なことがあります。

それは、**入り口を平等にしておく**ことです。

国籍や人種や性別や学歴や年齢で差別されることなく、意欲がある人が入り口に平等に立てるということが大切です。

想像してみてください。

将棋や囲碁で、年齢や性別、体格や学歴で盤上の駒や石を動かせないというルールがあるでしょうか。若い天才棋士が老練な棋士を見事に打ち負かすことに私たちは純粋に凄いとか、爽快感を感じたりしないでしょうか。

ここには**実力社会の正しさとすがすがしさがあります。**

仕事においても同様です。

それがどのような仕事であっても、打ち込んで、卓越した成果を出した人は報いられて（C＝C）、残念ながら成果を出せなかった人は、そこでめげずに次に向けて気持ちを新たに頑張る、あるいは再起を期して努力するということが正しいサイクルとなり、スパイラルになるのではないでしょうか。

切磋琢磨の結果として、男性ばかりになったり、女性ばかりになったりする職場も出てくるでしょう。あるいは特定の技能を持つ人が多いということもあるかもしれません。スポーツで言えば、バスケットボールでは、長身で筋肉にばねがあり、適切に得点を取ることがＪＤとして求められますから、そこには足の遅い人は入れないかもしれません。

しかしそれは、バスケットボールという競技が持つ特性であり、それはコントロールできません。活躍できる人がそこに集まり、活躍できない人は、自分が輝ける別の場所を探すことになります。仮にここに、無理に「平等」という考え方を入れていったら、それはバスケットボールではなくなります。

ではバスケットボールをしたいけれどもチームに入れない人はどうすればよいか。そのときは、ここからさらに**チームを分けようという最適化が生まれていきます。**競技によっては、リーグを分けていくことになります。

そのように、**活躍している人に応じた場所が増えていくことが自然なことです。**あくまでJDが先にあり、そこを動かさずに人材も共存共栄する仕組みを考えていくことが順序として正しいのです。

逆に、eースポーツであれば、体格差が競技そのものにとって必須ではないこともあるので、男女混合チーム、年齢混合チームがあってもよいでしょう。

かつては女性が多かった職場に男性が入っていき、看護婦が看護師になり、フライトアテンダントにも積極的に男性がなっていったということもあります。

多様性が重んじられるグローバルな環境を経験した人と、日本の社会だけしか経験していない人、さまざまな経験を持つ人たちとの中で男女平等をどのように捉えていくかが今、問われています。

ＪＤがあれば、仕事にとって最も良い資質や能力を持つ人が選ばれるのです。それが同時に働く人の収入や処遇の適正化・改善につながり、その職種全体の促進につながっていきます。

正しい競争原理が働くことで商品やサービスの価値が高まります。これが切磋琢磨です。「出ない釘は使われず捨てられる。出続ける釘なら、成功する」という言葉がありますが、私はそれは真理だと思います。

野球で言えば、王貞治さん、長嶋茂雄さんの良いライバル関係、切磋琢磨が有名です。そのほかにも、これまで野球を盛り上げてきた数々の良い競争がありました。

良いライバルがいると、そこにエネルギーが生まれます。また、実現したくなる夢が生まれます。その小さい夢を必ずかなえたいという欲求も生まれます。

ＪＤがあれば密室もなくなる

ＪＤがあれば、密室で物事が決まるような不透明なこともなくなります。「人事は透明にならない」とはよく聞かれることですが、逆に、仕事が明確になれば、人事こそが明確になるのです。

総合職を採用して、そこで雇った人に仕事を無理に当てはめようとしたり、同期間で競争をさせたりということをしているので、人事に無理が生じるのです。もうこういったこともやめないといけません。ＪＤがあれば、公正明大に明確に評価されます。そこに正しい競争も生まれます。

チャンスは平等に開かれている。スタートは一緒。その上での競争です。

体操、ボクシング、バスケットボール、スキー……。多くのスポーツ団体で不祥事が起きました。これはなぜでしょうか。

極めて日本的な「先輩―後輩」の理不尽な関係の悪い面が出たからではないでしょうか。先輩の言うことは絶対。どんなに間違っていることがあっても、「黒いものを白い」と言いくるめることを続けてきた結果、上層部が慢心することで組織全体がゆがんだ例はたくさんあります。そして、会社や組織の不祥事が明るみに出る。

この不合理は常に指摘されることです。

しかし、これはスポーツ界のことだけでしょうか。

政治の世界はどうでしょう。私たちが希望を持てるような、次世代の子どもたちが憧れる仕事になっているでしょうか。

今の現役の国会議員や県会議員、市会議員を見て、子どもたちが憧れたり、尊敬したりするでしょうか。大人である私たちの中に、あの人たちを見て、尊敬して自分も政治の世界に飛び込もうと思う人はいるでしょうか。もし政治家のＪＤがあったら、そこには何が書き込まれるでしょうか。

もし、今のあなたのＪＤを書くとしたら、そこには何を書き込みますか。

第2章　ＪＤの具体像

本章では、さらに具体的にＪＤを見ていきます。

ＪＤの導入は誰にとって得なのでしょうか。

私は、みんなにとって得になると思います。

ＪＤの効用

それはなぜか。

まず第一に、**ＪＤがあることで仕事の目的とゴールが明確になります。**その中で、実は無駄だった仕事、本質的ではなかった仕事があぶり出されます。

第二に、働く人たちにとっての仕事の意味がＪＤではっきりすると、**会社や組織が目指す方向性がよりクリアに見えてきます。**これにより、雇われる側の人たちが自分が何をすればよいのか、どこに向けて仕事をすればよいのかが分かり、納得をして仕事を進めることができます。

第三に、会社にとって目的とゴールが明確になると、**時代の変化に応じた組織改編が早まります。**仕事を中心において、そのためにどういった人が必要なのかが分かれば、人事異動のルーチンを超えて社内外から人を集めて、適正な人員配置ができます。

ただし、このことによって、不利益を被る人もいます。

それは、今ある仕事にしっかりと取り組んでいるわけではない、ぼんやりと日々を過ごしている人です。あるいは、初めから仕事をしたくない、できるだけ楽をして報酬を得たいと考える人です。

学生の頃、授業中寝ていた人、目的もなく進学し、主体的に学んだことがなく、周りから言われるままに今までの人生を過ごしてしまった人、仕事に就いても、やりがいや面白さを感じたことがない人。こういった人は、私が提案するＪＤで最初は困ることになるかもしれません。

しかし、**私はそういう人たちにもぜひ本当の仕事に出会ってほしいのです。**

取り組みがいのある仕事、困難を乗り越えて達成した経験、これらは誰もが味わうことができるものです。学生の頃、あるいはもっと小さい頃でもよいかもしれません。**頼まれたわけでもないのに夢中になって取り組んだことはありませんか。**あなたの好きだったことは何ですか。

私が大好きな言葉の一つに、スティーブ・ジョブズの「偉大な仕事をするには、あなた自身がしていることを心から愛することだ」というものがあります。無我夢中になれるくらい大好きなことを仕事にしなくてはいけません。

本来、仕事はそういったものの延長線上にあるはずです。今までにない仕事を作ってもよいのです。あるいは今あるものを改善し、より良いものにすることも大切です。

あらゆる人にとって、ＪＤは本当の仕事を見つけるきっかけとなります。

ＪＤの原則の一つは先に確認した通り、「Ｃ＝Ｃ」です。貢献と報酬を一致させるので、会社や組織に対する貢献がなければ、そこに報酬はありません。そして、その報酬は誰が支払っているかといえば、これも先に確認した通り、商品やサービスを買ってくれる顧客です。ビジネスであれば取引先です。

ＪＤが一般的ではない現状では、自分を高めたい人、好奇心と探究心がある人は、それほど多くないかもしれません。しかし私は意欲ある人たちに期待しています。将来の夢を持ち、主体的に自分から動いて、自分の人生を作ろうと思っている人たちにこそ、ＪＤの考え方を知ってもらいたいと思っています。すでに日本を飛び出し、海外で活躍している人は、このＪＤの考え方にはなじみがあると思います。

経営者や人事部が知るべきこと

それから、企業経営者や人事部の方々にもぜひ本当のＪＤを知ってもらいたいと考えています。

大手企業の、特に世界基準で闘っている企業においては、一日も早くＪＤを導入する必要性が分かっていると思います。世界中から優秀な人材を確保しなくてはいけない企業では、ＪＤはすでに導入されていると思います。

また、仕事に対する意識の高い人を求める経営者にもＪＤをしっかりと理解してもらいたいと思っています。仕事の本質を見極め、仕事を中心にそこに人を当てはめていくＪＤの本質は、仕事の目的や内容を明確化させつつ、同時に、人を大切にする仕組みでもあります。

再チャレンジとセット

よく誤解されることとして、ＪＤが入り、ＪＤが完全に実現すれば、実力社会が訪れる。そこでは競争が当たり前になる。その厳しさで格差社会が進んでしまうのではないか、という意見があります。確かにその一面があることは否めません。そこは、しっかりと踏まえておかないといけないことです。

しかし、**ＪＤがもたらす公正明大な社会においては、人はいつでも再チャレンジができて、失敗しても、何度もやり直すことができます。**つまり、ＪＤと、失敗が許され再チャレンジができること。これはセットです。

日本社会は失敗や再チャレンジに不寛容です。一度、失敗するとすべてが終わりと考えがちです。しかし本当にそんなことはありません。人はいつでも何度でもやり直すことができるのです。

日本の会社や組織の多くは減点法で人を判断し、加点法で物事を見ません。

これではチャレンジしようという気持ちがなえてしまいます。もっと言えば、チャレンジしない人が得をする社会になってはいないでしょうか。

新しく物事を生み出し、誰も見たことがない商品やサービスを生み出してきた、かつての日本のような元気を取り戻すためにも、チャレンジや試行錯誤を積極的に認めることが必要です。

学校でも先生が事前に定めた**答えだけを早く、正確に出した人だけがマルをもらえて成績が良かったという時代は去りつつあります。**

不確定な時代において、新しい答えを見つけることができる力が必要です。

これは、グローバル企業では当たり前のことです。

競争が厳しいのはそれだけ真剣に仕事に取り組んだ結果です。例えば、競争の激しい業界のある会社では毎年、下位10パーセントの人材の入れ替えが行われているといいます。そして優秀な10パーセントの人材を迎え入れているのです。そうやって会社の勢いを確保していきます。この競争は、とても厳しいものです。

この実力本位の在り方は、私たちにもなじみがあるものです。

野球チーム、サッカーチーム、バスケットボールチーム。多くのスポーツチームは、実力本位でメンバーが構成され、その真剣勝負を私たちは好ましいものとして、時にはそのプレーを興奮して見ています。**そこに真剣勝負があるからこそ、一生懸命に取り組んでいる人を私たちは応援したくなり、試合に熱中するのではないでしょうか。**

実際に、阪神タイガースの監督をしていた星野仙一さんは、２００２年に阪神の選手を大量放出して選手を入れ替え、強いチームに作り替えて２００３年に優勝しました。

また、そういう試合を楽しく見る私たちもまた、仕事に真剣に取り組み、毎年、次の年度に向けてより良い自分になろうと向上していくものではないでしょうか。

ＪＤがもたらす正しい報酬

ＪＤが入ることで、正しい競争が行われた結果、より良い商品やサービスが生まれ、会社も伸びていきます。正しい競争があれば、これまでの商品やサービスよりも良いものが作れないかと工夫を重ねて新しいものを作り出していけます。

その結果、売り上げが上がります。売り上げが上がると、報酬となる原資が確保できます。原資が確保できると、人件費＝報酬が確保できます。**良い仕事ができた人に適切な報酬が支払われるという好循環が生まれます。**

なぜ私たちの給料が低いのでしょうか。

それは、端的に言えば、儲からない仕事に集中しすぎているためです。

儲からない仕事でも大切な仕事は確かにあります。例えば、それは公務です。

だから私たちの社会には公務員が必要なのです。公務への報酬は、私たち全員が薄く負担します。つまりこれが税金です。従って、税金は、公務のために適切に使われなければなりません。

だから、公務員や政治家は、公務をしているかどうかが常に問われます。

今の政治家は、公務をしっかりとやっているでしょうか。

今の官僚、特に国家公務員は、公務をしっかりとやっているのでしょうか。

これも国家公務員のＪＤがあれば、そのことがはっきりします。

無駄な仕事が明らかになる

ＪＤを入れると、国が良くなるといった大きなことではない、中くらい（仕事・会社）の規模でも良いことがあります。

まず、**仕事の見直しをすることで、無駄な仕事が明らかになります。**

あなたが取り組んでいるそれは、本当に取り組まないといけない仕事ですか。仕事の目的にかなっているものになっていますか。会社や組織でいえば、利益を生み出す仕事ですか。

取り組むべき仕事がはっきりと分かります。

あなたの上司の仕事は部下であるあなたから見て本当に必要なことをしていますか。

ＪＤを作ると、そのことも分かります。

逆に、上司のあなたから見て、部下の仕事は適切ですか。その適切さの評価は、間にＪＤを置くことではっきりします。

重要なのは「透明性（Transparency）」

ＪＤは、年度ごとの（あるいはもう少し短い期間で）評価をするときの基本的な観点となります。

ここで重要なのは「透明性」です。

ＪＤの策定にも透明性が必要です。誰しもが納得できるものがあるからこそ、正しい競争が生まれるからです。評価にも透明性が必要です。その職の位置がそのことによって守られます。

今は職を冒涜《ぼうとく》するような人が多いので、仕事そのものの社会的位置や価値が下がっているのです。不正をする政治家、嘘をつく公務員がいたら、その仕事は尊敬され、憧れられるものとなるでしょうか。

ＪＤは目標を示したものです。その目標を達成するために、どのような手段を取るかが、個人の努力のしどころです。その努力は目的に向かって正しく行われるために、やりがいも生まれますし、自分で試行錯誤しながら、つまり周りとの競争・切磋琢磨もしながら、良いパフォーマンスを出していこうということになるのです。ここには矛盾がないので、一生懸命に打ち込んでいくことができます。

ＪＤはマニュアルではありません。何をすべきかという仕事を中心において、そのために必要な資質・能力や資格や経験、なぜこの仕事があるのかという根源的な理由、報酬を含めた待遇などが定められている文書です。

マニュアルは、仕事の目的や理由が書かれておらず、何をすればよいかという手順

や方法だけが書かれているものです。これは説明書のようなものなので、それを使いこなせる人もいれば、使いこなせない人も出てきます。

ＪＤはマニュアルとは異なり、目的（何のためにするのか）と目標（どこまでするのか）が書かれたものです。

誰がＪＤを作るのか

ＪＤを作るのは経営者です。そして人事部です。

そこでは人からではなく、仕事の観点から何が必要かを洗い出します。今は人を配属することが先になっていることが多いので、ここがすでにあいまいであったりします。何が必要なのか、どういった仕事から進めなくてはいけないのか。決めるのは経営者の仕事です。

また**人事部は、人の最適化を図る場所であると同時に、評価も担っています。**

その際の評価軸は、人間性やポテンシャル、人事のルートなどを最適化していくのではなく、部や課の仕事との関係で、人をうまく配置していくべきです。

なお、「名選手、必ずしも名監督ならず」という言葉がある通り、プレーヤーの仕事とマネジャーの仕事は別物です。従って、意識が変わらない限り、いつまでもプレーヤーのままでいることもあるでしょうし、逆に、マネジメントの力を付けて名監督になれることもあります。これもまた仕事の側から見たときに、最適な人を探していくことで達成されることです。

JDで雇用のミスマッチが減る

ここまで何度もお話ししてきたように、C＝CがJDの原則ですから、仕事が何のためにあるのか、その仕事をしたことでどのような報酬になるのかがJDで明確になります。

その上で、あらゆる会社においてジョブ型雇用が広がり、JDが作られるようになれば、**A社からB社へ会社を移る際に、雇用する側も、雇用される側も、どの仕事にどの報酬で雇えばよいかが互いに明確になるので、ミスマッチが減っていきます。**

これはスペシャリストの世界ではすでに実現しているものです。弁護士が事務所を移ったり独立したり、あるいはスポーツ選手がチームを渡り歩くことやアメリカなどのリーグに挑戦することを想像してもらえればよいと思います。

また、**市場が成熟すれば、さらに働き方の自由度が増していくでしょう。**仕事そのものが柔軟に取り組めるようになるので、どこで誰と仕事をしてもよくなりますし、やるべきことを分けていくこともできます。

ＪＤが入ることで、働く側の動機付けもより明確になります。またキャリアアップをしたいと思う人たちには、見通しが付いてきます。どのような職能開発をすればよいかが分かります。ここでは学歴＝職の対応関係もより出てくるでしょう。

これから日本でも多様な背景を持った人たちと仕事をすることが多くなるでしょう。その際、マニュアルでは、仕事をする人がそれを理解してこなすことが１００パーセントとなるのに対し、ＪＤは１２０パーセントにも、２００パーセントにもなります。

マニュアルとは「こなし型人材」を使うものであって、そこから工夫しようとか、

効率的に改善しようというスタイルは仕込まれていません。

それと比べてＪＤには達成すべき仕事の基準や要件が書かれているため、その手段は、仕事をする人の創意工夫に任されます。工夫した結果、より良い成果を上げれば、報酬にも当然跳ね返ってきます。

しかし、マニュアルでは言われたことを言われた通りにやれ、ということになっていますから、**創意工夫の余地はありません。むしろ余計なことはしないというマインドを醸成することになります。**その観点からは手順を標準化することのメリットよりもデメリットが出てきてしまいます。

また、それ以上に、定型化できる業務は、自動化・ＡＩによる制御がしやすいということになります。

あなたのＪＤを作ってみましょう

ＪＤはどのように作ればよいのでしょうか。段階を踏まえて見ていきましょう。

【①職務の整理・検討】

【目的とゴール】企業の理念、会社が求める目的・利益は何か。その目指すところと、あなたの現状の仕事との関連を確認しましょう。さらにあなた自身が一生を打ち込むに値する場所であるかどうかも見極めましょう。

背景：①会社の歴史、経緯、社是、大切にしている価値など、②会社が属している業界の歴史、現状、課題などを整理します。今後成長するのか、あるいは衰退するのかも検討してください。もし成長するのであればどの分野が伸びるのか。そこに自分を懸けることはできるのかも見極めましょう。

次に、観点として、あなたの職務等級、そこで求められる責任、取り組むべき職務内容、そのために必要とされる知識やスキル、権限の範囲を明確にします。ここでは、その仕事を続けた結果、あなたの将来の選択肢が広がるのかどうかも見る必要があります。

職務の役割と責任：①なぜその職務が求められているのか、②存在意義は何か。

業務項目に求められる資質・能力（目標）：具体的かつ明瞭な資質の提示（例・創造性、リーダーシップ、販売戦略立案、広報戦略など）、年度内に構築したいこと、実現したいことを項目として示す。ここでは、さらにあなた自身が伸ばしたい能力や資質も棚卸ししてみましょう。

例えば、あなたが部長だとしましょう。

あなたに求められる責任は、部全体の仕事の管理です。そこには部員を適切に管理し、支援し、部全体が目指す目標に達する手段に向けて環境を最適化することが求められます。つまりあなたの職務内容は、数字の管理・確認、部員のモチベーションを上げて持っている能力を最大限発揮させることです。

営業部であれば年度末に向けて、期首に設定した目標をどのように実現していくかを考え、目標達成に向けて実行することになります。

そのために必要な知識やスキルは何でしょうか。これがＪＤに書き込まれます。業界の人脈やこれまでの成功例の把握、リーダーシップの発揮、自分自身の向上。こうしたその役職の担当者に必要な資質・能力（手段）：①職務経験、資格等、②測定可能な能力・経験、③具体的な能力項目が書かれます。

JDには、少し高めの目標設定を置きます。誰もが取り組めることは、目標ではありません。高い目標を達成できたらとても素晴らしいことです。少々未達でも予定通りと思ってもよいでしょう。

日本では、往々にして「数字を確保しろ」というざっくりとした指示しか出てこないことがあります。中身が不明であっても、売り上げが立っていれば、問題にならないというのが日本企業の体質ではないでしょうか。

しかし、それでは仕事の目的とゴールが見えてきません。**黒字でも問題が内在化されていることはありますし、赤字でも成長機会はある**ものです。

仕事は仮説を基にビジネスを組み立てて、ヒト・モノ・カネを投入して、実際にビジネスを行います。もしそこで失敗したら、原因を探って検証し、次に向かいます。ビジネスである限り、収益を上げていかなくてはいけません。

より良い成果を上げる（「儲かる仕事」をつくる）ためには何をすべきかがその中ではっきりしていきます。

【②集めた情報の精査】

次に現状を分析し、その仕事にとって必要な資質・能力は何か、取り組むべき事柄を網羅していきます。

次に重要度を決め、優先順位を付けます。十分に詳細な情報を網羅することで、仕事が被雇用者に求めることが定まると、被雇用者と仕事とのギャップがなくなります。

これに取り組むのは、経営陣、人事部、部門マネジャーです。

【③精査した情報を基にＪＤを作成する】

①、②で確認した内容をまとめます。最初は長い文章で説明して構いません。それをまとめていき、数枚程度に集約します。

その際に、気を付けるべきことは、目的とゴールから各論へと下ろしていくこと、目的と手段を混同しないこと、業務の核を外さないこと、抽象的な言葉でまとめないことです。

ＪＤは一人でつくるものではありません。誰から見ても、納得できるものでないといけません。仕事で一緒に働く同僚からも、上司・部下からも、納得されるものとならないといけません。

部長ならこういう仕事をする人だ、課長ならこういう仕事をする人だ、といった通り、マネジメント部門に就く人に求められる像は比較的一致すると思います。政治家や組織のトップにおいてもそうでしょう。

部長職を採用するときには、上司・部下・同僚にもヒアリングをした上で、ＪＤとして何が必要かを確認していきます。最低、４、５人で合議しながら作成しないといけません。

なぜかといえば、ＪＤは透明性を確保した上で運用するものだからです。また雇用する側から言えば、周りも納得した上で、一緒に良い仕事をする人を探すものだからです。

なお、ＪＤは、会社が直面する環境の変化に応じて変化する可能性があります。特に、コロナ禍においては1年で環境が激変することがあります。

【④評価】

評価はＪＤに基づいて行います。ＪＤは誰が見ても納得をする形で書かれているので、評価基準もはっきりしています。ＪＤがあることで、正確な評価もできます。

評価は難しいと言われます。

でもそんなことはありません。とても簡単です。

上司の好き嫌いや集団の雰囲気で仕事の成果と関係のない序列ができることもありません。あらゆる仕事にＪＤが付いていますから、それに沿って、年度末に、これができた、これはできなかったと確認することができるのです。目的がはっきりしているので、それを実現する手段が本人のパフォーマンスとして評価されます。

ＪＤを使うことで、被雇用者は転職ではなく「転社」をして、ステップアップすることができるようになります。

また、「次の会社に移る」と上司や人事部に伝えた際に、今の会社から**「How can I keep you?（どうしたらこの会社に残ってくれるのか）」**と言われるくらいの人材にならないといけません。

第3章　ＪＤをめぐる対話

本章では、日本以外でのビジネス経験があり、会社のマネジメントにも携わってきたスペシャリストの友人との対話を通じて、ＪＤをさらに探究していきます。

第2章まで、なぜ今の日本にＪＤが必要なのか、さまざまな角度から検討してきました。しかしＪＤの運用の実態については、おそらく日本の雇用環境を前提にしていては分かりづらいところがあると思います。

ＪＤをめぐるさまざまな問題について、国際基準のビジネスで最前線にいる人たちとの対話を通じて、ＪＤを見ていきます。

まずはホープベアー株式会社代表取締役社長＆ＣＥＯの影山亘さんとの対話です。影山さんは多くの外資系企業での経験があり、ディズニー、プジョー・ジャポン、リーボック等での経験をお持ちです。

対話1　ＪＤで日本を根本的に変えるべき

日本経済が衰退する根本的理由

岡本　日本がこれほどまでに経済的に停滞し、会社も組織も変わらなければいけないのに、改革が起こらない理由は何だと思いますか。

影山　本書の中心テーマである「ＪＤ」という言葉は使っていませんでしたが、私もかなり前から**日本が衰退して欧米のみならずアジア諸国にも抜かれつつある根本原因は、日本独特の「新卒一括採用」「年功序列」「終身雇用（定年制とセット）」といったメンバーシップ雇用の負の側面にある**と考えて、色々なところでそのことを話してきました。

岡本　やはり問題はそこですね。

影山　そのように考えるに至ったのは、私自身が大卒後入社した日本の広告代理店で正社員として約5年間働いた以外は、すべて単年度もしくは2年毎の契約更新でずっとＪＤの意識を持って働いてきた経験が大きいと思います。当時、友達には「プロ野球選手みたいなものだ」と言っていました。周りはピンときていなかったみたいですが。途中で入った会社の正社員の給与制度と、当時、私が得ていた報酬がうまくかみ合わなくて、結局、契約社員のような形でないと会社側も正当な報酬を支払うことができなかったんです。それで納得して契約社員の働き方を選びました。

契約社員にはＪＤがあり、業務内容・目標・責任が明確になっています。

給与は年俸で決められ、それにインセンティブが加わる場合もあります（外資系企業のいわゆる「雇われ社長」の場合は、業績連動のインセンティブの比重が高くなります）。現在は起業して会社経営者ですが、そういったこともあって、私は雇用においては採用時に契約されたＪＤに基づいて仕事に当たり、そこに報酬が紐付いているというのが正しい形だと考えます。

岡本　それに加えて日本の発展を阻害しているのは、Ｃ＝Ｃ（貢献＝報酬）になっていないことですね。**働いてもいない人が高給を得ていたり、十分に働いている人が適切な報酬をもらっていなかったりする。**これには被雇用者が守られすぎている問題もあると思います。

影山　私が聞いた話ですが、日本の労働関係法をよく知らない外国人社長が日本人社員を解雇して、その人が裁判を起こし、後任の社長が長らく裁判に関わったことがあったと。そこで外資系企業とはいえ日本の法人であれば、社員が犯罪行為をするとか、会社が倒産の危機に瀕しているといったよほどのことがないと、本人がどんなに仕事ができなくとも解雇できないということを身に染みて感じたそうです。

この問題の裏側には、**働かない人でも割り切れば、そこそこの給料を得られるという職場環境が影を落としていて、やる気があり、能力のある若者のモチベーションを下げているわけです。**優秀な人ほど、転職したり海外に出たりする。私自身、そうしたケースを数多く見てきました。

ジョブ型組織を並行して動かす

岡本　影山さんは「ジョブ型雇用」への転換は、どうすればできると考えますか。

影山　コロナ禍でテレワークが急速に導入される中、「ジョブ型雇用」が必要だと言葉では言われていますが、日本独特の「メンバーシップ型雇用」が変わらない限り、これは難しいと思います。日本のシステムを一気に変えるのは難しい。

そうであるならば、**二つの雇用制度を並列して動かす**とよいと思っています。そういう事業部や別会社を建ててみればよいのではないですか。そうした中で、**緩やかに「ジョブ型雇用」への共感が高まり、そちらに動いていく**のではないかと思います。

少なくとも、そこで意欲と能力のある人の働き方や処遇は変わるでしょう。

「メンバーシップ型雇用」が続く限り、ＪＤは導入しづらく、なじまない。なぜなら、ＪＤにはきっちり自分のやるべき仕事、目的や裁量が入っているからです。日本の会社はそういう仕事の仕方をしていないんです。隣の部署が忙しい時には、それを手伝うのが美徳といったような雰囲気がある。それは職に就いたということではなく、会社に所属したからですよね。会社のためには何でもやらないといけない。

しかし、高度経済成長期ならそれでよかったが、今は時代が変わる中で、それは通用しません。無駄な仕事も多くなるし、**人のために仕事が生まれてしまう本末転倒も起こる。**

「ジョブ型雇用」と「メンバーシップ型雇用」は水と油という感じがする。だから並列で走らせて、まずは、ジョブ型で採用する人と、メンバーシップ型で採用する人を分ける。

これはできないからといつまでも問題を先送りして状況が変わるのを待っていたら、日本はさらに世界から後れますよ。

岡本 入社試験、入社時期含め、新卒一斉採用の慣行から変えないといけないですね。

影山 今の日本の正社員の在り方は、自分がこれをやりたいと考えた**「職種」で会社を探して入社するのではなくて、「会社の看板」を見て試験を受けて入ったという形ですよね。**雇われる側から見れば、入社する時に、自分がどんな仕事をするのか分からない。そんな状態で入社します。

会社側は終身雇用を保障する代わりに、入ってきた人を好き勝手に「コマ」として動かしていきます。たとえ仕事で世界の果てまで動かされても文句は言えない。自分が営業が好きでやりがいを感じていても、次の場所で「ロジスティクスに入れ」と言われれば、「分かりました」と言うしかない。結果として、中途半端なゼネラリストが出来上がります。

これはトレードオフの関係です。つまり、一生面倒見るから、会社の言う通りに働きなさいということですよね。言葉は悪いですが「社畜」という言葉も、そういう状況の極端な事例を示していたものだったと思います。

これは、定年まで一つの会社に勤めたいという人にとっては良い制度かもしれません。給料はこれからさほど高くなることはないけど、まあ生活はできる。安定を最優先にするのであれば、そういう考え方もあるでしょう。日本の大企業はそうした制度を構築し法律もそれを守っている。

しかし**グローバルな環境にさらされる中で、どこまでそうした日本独自の従業員保護が可能となるのでしょうか。**経済や資本の論理に従えば、いずれ、こうした人たちも守られなくなるのではないかと思います。

先ほど触れた通り、意欲のある若い人や、目標と志を持ってチャレンジしたい人を生かさずに、会社の都合で若いうちは安い給料でこき使って、働いていない上の人が高給を得ていることに、若い人は理不尽さを感じて当然だと思います。将来が保障されるとは限らない今の時代、何もしないで、自分の倍以上の給料をとっている上の世代を見ればやる気をなくすでしょう。

契約社員の年俸を上げて正社員の給料を下げる

岡本　正社員の在り方も考え直すべきではないでしょうか。

影山　そもそも、日本的な「正社員」「契約社員」の考え方が独特なのですが、それはいったん横に置いて、**ＪＤに基づいた契約社員の年俸をうんと上げてみるといいのではないですか。そして正社員の給与を下げる。**成功報酬を高くして、失敗しても再チャレンジを保障すればいい。これで世の中の雰囲気は変わってくるのではないかと思います。

日本の「メンバーシップ型雇用」を崩壊させるやり方の一つは、「ジョブ型雇用」の給料を高くすることですね。そうすると、若い人たちはそれを見てどう思うか。変わるのではないでしょうか。

自分が平々凡々といくのか、それとも**チャレンジを良しとして、トライアンドエラーで成長していくことを選ぶのか。**希望的観測かもしれませんが、これで仕事に対して向き合い方が変わる人が増えると思います。

世代にかかわらず、やる気のある人は常に一定数いると思います。私たちの世代では、やる気のある人は、いったん日本企業に入社しても、その後、外資に転職する人が多かった。今はベンチャーを起業する人も増えていますよね。ＪＤ的働き方をもって日本企業でも報酬を良くするともっとみんな働くと思いますよ。

岡本　本書では、繰り返しＣ＝Ｃ（貢献＝報酬）を提唱していますが、実は私も古い価値観を持っていた人間なので、なかなかそれが自分の中に入ってこなかったということは正直あります。頑張っていたとしてもそれでお金のことをあまり正面から言うのはよくない、と思ったこともかつてはありました。

でも、ある時にアメリカの友人から「ヨシ、子どもにだってお金の稼ぎ方を教えないと、いずれ盗人になるかもしれないんだぞ」と言われて、そうだと納得しました。**お金を正当に得ることは生活を維持するために必要ですし、働いてお金をもらうことについて正面から向き合い、もっと堂々とすればいいん**ですよね。

今の給料はどこも安いから、上場企業ですら、**自社では十分に支払えないからほか**

の所で稼いできてと「副業」や「兼業」を認めているわけです。これは本来、おかしなことです。自社で力を尽くしてもらって、そこで正当な報酬を支払うべきです。

確かにＪＤには厳しさもあって、隣の人の仕事を手伝うと、「ヨシ、それは君の仕事ではない。やる必要はない」と忠告を受けることもあります。スペシャリストの仕事を極めるというのは、周りの人の仕事を邪魔しないことでもありますよね。もし**社会や他人に貢献したいのであれば、「ボランティア活動」「寄付」「養子をとる」といった、利他の精神を発揮するところは別にある**わけですから。

影山さん、日本企業の中でなかなかスペシャリストが育たない理由は何だと思いますか。

影山　**人事異動。これがプロフェッショナルが育たない理由**です。これを続けている限り、中途半端なゼネラリストしか育たないでしょう。官庁が顕著です。癒着などを避けるためということもあるのでしょうが、そんなことは別の仕組みで抑制すればいい。一つの仕事に慣れた頃に2年か3年たつと別の部署へ行くために、優秀な人があある分野のスペシャリストにならず、活躍し切れていなくて残念ですよね。

人事部も日本は独特ですよね。あの人をこちらに動かす、この人をあちらに動かすといった、人を動かすことばかりしていると思いますが、これは日本の人事部だけで、欧米の人事部に当たるＨＲ（Human Resources）は、もっと研修に力を入れるとか、**どういう人材を雇うことが会社にとって必要なのかとか真剣に取り組んでいます。**

岡本　日本では政治家からして人事異動ですよね。**省庁のトップである大臣ですら、専門性のない人が就く。**

影山　アメリカであればその分野に精通していれば民間からでもトップに就くことがあります。台湾だって若くて優秀なオードリー・タンさんが民間から抜擢されていますしね。

マネジメントへの転身

岡本　スペシャリストでも、例えば、マーケティングやセールスのスペシャリストから、経営やマネジメントのスペシャリストに変わることがあります。影山さんはいつ経営のスペシャリストになろうと思ったのですか。

影山　徐々に意識が変わっていったのだと思います。私は、会社を結構移っていまして、そのうちの一つですが、１９９０年にフランスのプジョー・ジャポンに入りました。当時は外資の自動車メーカーがこぞって日本に現地法人をつくり始めた時代で、マーケティングヘッドとして雇われました。当時はまだ25人くらいの小さい規模の会社で、部下も６人くらい。小さいながら予算もあってマーケティングが仕事なので、予算を回すとか、人の採用も任されました。その後、リーボック・ジャパンに移り、新規事業開発部長として働きました。上司は社長のみ。本社はマサチューセッツにあって、そのヘッドとのやりとりもありました。そのあたりから、**会社の中で「小さい会社」を動かしているような感じになったんですよね。これがマネジメントの始まりでした。**その後、ディズニーにヘッドハントされました。

もし私が日本の会社にずっといたら、30代でこういった経験はできなかったと思います。

岡本　外資にいると、どのポジションであれ、自分が何をしないといけないかということを明確に意識しますよね。マネジメント層ではそれがさらに厳しさを持つと思いますが。

影山　リーボック・ジャパンの時は経営的に厳しい時代だったので、数字がすべてでした。利益率、売り上げがすべて。事業部全体を見て、仕入れから商品開発、在庫管理まで全部やらないといけなかったので、相当戸惑ったことや困ったこともありました。でも、やりがいはありましたし、当時の部下たちもそれぞれ皆、今も外資で頑張っています。

コロナで「化けの皮」がはがれた

岡本　コロナ禍で、日本の仕事で無駄だったこと、合理的ではないことの「化けの皮」がたくさんはがれたと思います。コロナウイルスのワクチン接種のことでもよく分かりました。申し込みの混乱や再接種の書類のことなど不合理なことが多すぎる。

影山　いまだに日本では仕事でＦＡＸを使っている所があると話すと、海外の人に笑われます。「石器時代のものを使っているのか」と。

岡本　そういう非合理的なもの、もっと**便利で役立つことがあるのに、それを取り入**

れない理由ばかり出てきてしまうんですよね。決断が大切で、阪神タイガース時代の星野さんが２００２年オフに70人の選手のうち20人以上の選手を外に出して、新しい選手を入れて２００３年に優勝したことを思い出します。トップが危機に当たって決断することが大切ですね。

影山　デジタルに焦点が当たっていた時代に、ある会社で社長をしていたのですが、当時、あの業界にいろいろな人が入ってきたのは、規制が少なく、新しいことが自由にできたからです。そこでやれることが多かった。堀江貴文さんとか三木谷浩史さんとか藤田晋さんが入ってきて、**ネット関連の新しい産業ができた**わけです。かつてそういうことができたわけですから、私はそこに希望を持っています。**アメリカのビジネススクールでも、そこを出たトップの人は会社に入るのではなく起業します。日本でもそうなってきている。**優秀な人ほど、ベンチャーで起業している。はなから大企業がダメだと感じているんだと思いますよ。

現状の日本型組織にＪＤが適さないのであれば、部分的に導入して、働き方のシフトチェンジをしてはどうかという提案はどうでしたか。
次に、ある有名企業の経営者との対談をお伝えします。この方は、匿名を条件に本書への協力を申し出てくれました。川中純子さん（仮名）です。

対話2　ＪＤを生かすのは人事部

人事異動は「日本的慣例」

岡本　川中さんは日本企業と外資系企業の両方の経験をお持ちです。両者の比較でＪＤを置いてみると見えてくるものはありますか。

川中　日本企業と米国の企業の間では、それぞれに長所もあり短所もあり、比較して一概に善し悪しを決めることはできませんが、確かに**ＪＤを通してみると、日本企業のビジネスの仕方の特性が見えてくる**ように思います。
私はかつて日本企業にいましたが、そこでは必ずしもその人の能力ではなく、人をどこに配置するかという考え方で組織を動かしていたと思います。人事異動ですね。

日本的な人事異動では、本人の能力と異動先で求められる内容が一致しないことが起きることがあります。つまり、成功する場合もあれば、失敗する場合がある。必ずしも適材適所にならないことがあります。

もちろん、今はある程度、本人の希望が認められ、その人の能力や適性がうまく仕事に合うこともあると思いますが、多くは会社の人事部の考えで、その人の仕事が決められていると思います。

人事異動では組織改革はしにくいのです。欧米の考え方では、適材適所を徹底的に考えて、かなり真剣に社内のみならず社外から能力と適性がある人を採用します。そこには雇う側の責任や配置する側の大きな責任があります。

もし、採用した人が仕事で成功しなかった時は、相性、能力がそのポジションに合っていなかったのではないかと会社側は考えます。また、上司等との面談や評価の際に、本人も自分がこのポジションに見合うだけの能力や適性があったのかどうかについて気付きます。評価が良かった場合は、引き続き、そのポジションにとどまることになりますし、**もしミスマッチが起きていたとしたら、新しい選択肢を求める**ことになります。

この選択肢は、社内外、両方あります。例えば社外に選択肢を見いだす場合、会社から通達をされる「レイオフ（解雇）」もしくは「ポジション・クローズ（その職種を閉じる）」というものです。

「レイオフ」「ポジション・クローズ」と言うと、私物を入れた段ボールを抱えて、ある日突然、会社から追い出されるといった、あまり良くないイメージがあるかもしれませんが、「レイオフ」や「ポジション・クローズ」というのは、決してその人に非があるわけではなく、景気の悪化といった外部環境の変化で部署やポジションそのものをなくさなければならなくなったということであり、本人に対する否定的な考え方ということではありません。

これは**ビジネスとしては正しい判断による措置**で、これによって一時解雇される人が否定的に見られたり、悪い印象を持たれたりするということはありません。

真の意味での適材適所

川中　これと比べて、日本の「早期退職制度」は、能力のある人もない人も、年齢というひとくくりの判断基準で応募できるものであり、**能力があってもなくても、皆が一様に辞めることができるようになるということは問題**だと思います。

能力のある人は会社に残るべきですし、そこに年齢や性別等は本質的に関係ありません。年齢で切ってしまうことで、会社としては公平性や平等性などを担保しているつもりかもしれませんが、ビジネスの観点からは間違っています。ＪＤが入ることで、少なくともそこで能力があり、ＪＤを満たす人かそうではない人なのか、ということがしっかりと見えてきます。

岡本　透明性ですね。私は、本書でＪＤはＣ＝Ｃをもたらすと繰り返し提言しています。仕事に向き合うことで、自分が本当に取り組みたいことが見えてきます。

川中　ＪＤがあることで、自分の適性に気付くきっかけになります。仕事に取り組む中で、自分が何をしたいか、何ができるかも客観的に分かると思います。

それから、**評価もＪＤがないと本当はできません。**ＪＤには会社の理念、ポジションの権限と責任、そのために必要なスキルや経験といったことがしっかりと明示的に書き込まれています。それがあるからこそ、適正な評価ができるのです。

文章化されていることで、そこに立ち返ることができます。また、何より大切なことはそこに**報酬が紐付き、その人の貢献度が報酬額で明示されていることで、自分の価値も分かる**のです。これがもし年功序列の一律賃金であったりすると、その人が仕事をしていようが、していまいが、あまり報酬に差がないと、仕事の正しいインセンティブにもならないし、仕事そのものの価値があいまいになってしまいます。

ＪＤは仕事を明確にし、そこでは人が大切にされているとも感じます。なぜなら、必要な仕事がはっきりしているから、むやみやたらに適任ではない人が入ることがないからです。

岡本　適材適所ですね。

川中　**雇用に対する責任は重い。このことに尽きる**と思います。

意外かもしれませんが、外資の方が雇用に対して真剣で、受け入れる人を大切にしています。それほどドライというわけではありません。日本の企業は新卒で一括採用した後は、会社の中で人材をシャッフルしているだけ。その人のことを本当に考えているわけではない。これは変だと思います。

日本の会社は配置した先の仕事を何でもその場で学んでこなす「ゼネラリスト」を求めていますが、本当はそうではなく、**仕事はすべて「スペシャリスト」のものです。**

若い人たちを見ていると、昔と違って、今は自分がやってきたことをきちんと表現して、自らの能力や対応できる幅を見ながら自分が実力を発揮できる所を探しているように感じます。例えば、自分は人に関わる仕事がしたい、だから人事がやりたいというように、自分からJD的な考えを持って仕事を探しに行くというように若い人たちの意識は変わってきているのではないでしょうか。

人事部が重要

岡本　日本と外資のより本質的な違いは何ですか。

川中　人事部でしょうね。質が日本と外国は全然違う。私の知る限りですが、外国の企業は人事が素晴らしい。ビジネスを知っている人事です。**自分の会社のビジネスに**

おいて、どんな人が必要であるかが分かっている。だから採用に対する意識が高い。必要とされる仕事に適した人を徹底的に探しに行く。そのことが上手。

しかし、日本の企業の人事は、そこが上手ではない。**人事がビジネスに紐付いていないんです。**仕事は人がすべてですから、人事のスペシャリストが社内にいないと、本当は強い組織は作れません。より良い組織をつくり、より良いビジネスをするなら人事部の質は重要でしょう。

日本には「経営企画室」「営業企画部」といった部署が普通にあると思いますが、外資系企業にはそういった、ふわっとした名前の部署はありません。私も外国から来た方に、これはどういった仕事をする部署なのですか、と聞かれて返答に窮したことがあります。「財務」「HR（人事）」「マーケティング」といったものがありますが「○○企画部」といった、**ふんわりとした名称の部署は外資にはありません。**

JDとの関係で言えば、そこにはなすべき仕事が書かれていますから、評価も真剣にやります。評価は雇った責任としてとても重要ですから。

岡本　川中さんはJDを作った経験はありますか。

川中　あります。ただし、会社をゼロから立ち上げたということではないので、ＪＤを作ったことがあるといっても会社にある「ひな型」を用いて、より現状に合わせていくという作業です。例えば米国で作られたＪＤであれば、それを日本にローカライズします。日本に必要なものは環境が違うので、適宜、それを入れ込んでいく。このポジションで必要な仕事はこれですよというようにですね。

岡本　ＪＤのメリットは何だと思いますか。

川中　メリットは、**パフォーマンスに対する評価が明確**だということです。変な成績表にならない。

私がそのことで思うのが、日本の中学校の通知表や内申書のことです。生徒たちのパフォーマンスを測定するのが評定・評価であるはずなのに、その中に教師の主観が入るのが不思議です。生徒の客観的な状況だけで判断されないわけです。テストで80点取っても評定が3だったり、テストの点数が60点でも評定が5ということがあります。教師の主観で評定が上下するのです。これはおかしいですよね。

高校生になるとさすがにテストの点数は、定期テストであったり、課題の提出など、評価基準がはっきりしていて、気持ちよく成績が出てきます。

岡本　日本の企業の評価はどちらですか。

川中　前者ではないかと思います。日本は空気を読む、そのふんわりとしたところが融和的で白黒はっきり付けない良さなのかもしれませんが、**評価においては評価者の主観が入ってはいけません。**

日本企業と外資系企業双方の経験がある川中さんならではの分析が随所に光っていました。ちなみに川中さんは女性として出産や育児も経験しながらビジネスでも素晴らしい成果を上げている女性で、男性である私は出産はできず、育児も十分にできていない分、彼女に尊敬の念を覚えています。

私の前著（『メジャーリーグに就職する方法』）を読み、本の末尾に記された連絡先から問い合わせをしてくれて、その後、私が開催しているセミナーに参加したり、私の会社で一緒に働いたりして、その後も長く付き合っている人たちが数百人います。

その中でもＪＤを活用して、転職してきた明石京子さん（一般社団法人スポーツと都市協議会・ＮＰＯ法人日本ブラインドサッカー協会）と小谷哲也さん（デロイトトーマツファイナンシャルアドバイザリー合同会社）に話を聞きます。

対話3　ＪＤで仕事の意識が変わる

新卒後に進路変更

岡本　明石さんと小谷さんは最初に入った会社から、全く異なる業界や、会社に転職した経験をお持ちですが、それぞれＪＤとの関わりについてお話しいただけますか。

明石　私は大学卒業後、新卒で損害保険会社に入りました。その後、スポーツに関わる仕事がしたいと思い、アメリカに留学し、中途採用以降はＪＤが関わってきました。ウィ岡本さんと知り合えたおかげで、サンノゼジャイアンツに入ることができました。ウィンターミーティング（ジョブフェア）で職務経歴書をひたすら出して、面接してもらえたおかげです。**中途採用でＪＤは使えると思います。**

その後、日本に戻ってbjリーグ立ち上げに関わり、翻訳会社で働いたこともありますが、その転職の際に、転職エージェントから職務経歴書を求められまして、それにマッチした会社を探してもらいました。アメリカ4大プロリーグの一つのジャパンオフィスから面接に来ないかというオファーを頂いたので、その時は、**先方のＪＤが私の経歴とうまくはまったのだろうと思いました。**

小谷　私は大学卒業後、酒類メーカーで営業をしていました。転職のきっかけは岡本さんの本を手に取ったことです。子どもの頃から野球を続けてきて、スポーツに関わる仕事をしたいという思いを持っていました。２００６年に会社を辞めたのですが、当時、あまりにも「武器」がないので、兄が公認会計士でロールモデルがあったこともあり、公認会計士としてスポーツに貢献しようと思いました。

財務、ガバナンス、組織運営等、仕組みや支える側からスポーツに貢献できると考えました。そのモチベーションを維持するために、岡本塾で「鞄持ち」をして、実地でたくさんのことを学ばせていただきました。その後、公認会計士試験に無事受かり、監査法人に入りました。２０１４年に社内のスポーツ支援部門の立ち上げに参画し、現在、私はスポーツビジネスグループというところで仕事をしています。

「あなたを雇う理由は何ですか」

岡本　お二人とも私の前著を手に取ってくれて、それでセミナーなどに参加してくれたのが縁でしたね。明石さん、小谷さん含めて、多くの若い人たちと知り合えたことが私の財産です。現在の仕事をＪＤの観点で見直した時に、いろいろと見えてくるものがあると思いますが、このあたりはいかがですか。

明石　私の新卒の時のことを思い出してみると、会社に入った後に何をやるかなんて当時は考えていませんでした。入ってから研修を受けて、その後に配属先が決まり、言われたことをこなしていました。これは多くの人がそうだろうと思います。

今でも忘れられない経験が一つあります。

スポーツに関わる仕事がしたいと思って、岡本さんが主宰していたセミナーに参加しました。その模擬面接の場面で、米国人の講師の一人から「どうして私は、隣にいる３人ではなくて、あなたを雇わないといけないのですか」と聞かれたんです。そんなことは考えたこともなかったので、とても驚きました。

それまでは、日本的といいますか、自分主体で仕事のことを考えていました。「私はスポーツが好きだから」「私がチームで働きたいから」という自分発信でアピールすることばかりを考えていたんです。あなたの会社に入れてくれさえすれば、何でもやりますという気持ちで。

でも、そうではなかったんですよね。ＪＤに基づいて「あなたはどんな貢献を私たちにしてくれるのか」「あなたを雇うことで、私たちにどんなメリットがあるのか」ということを聞かれていたんです。

その時に、独り善がりであったということに気が付きました。そこで「私にはリサーチ力がある。日本人コミュニティーやアジア人コミュニティーにアクセスして、あなたの球場にお客を連れていきます」ということを話しました。

相手を知り、自分の強みを持たないと厳しいのだなと感じました。

岡本　その通りですね。

明石　それで、セミナーでの学びの成果もあり、サンノゼジャイアンツに入ることができました。シングルＡ（１Ａ）で小規模だったのがとてもよかったです。インターンやシングルＡのいいところは、希望すれば何でもやらせてくれるところで、ゲームのある日は、イニング間のスポンサー付きイベント（フィールドに観客を呼び込んでゲームをするなど）のための小道具を持っていくといったことなど、できることは何でもやりました。この経験は今でも生きています。

小谷　私は現在、スポーツ界の外側から専門性を生かしてスポーツ競技団体やスポーツクラブ等の運営のサポートに携わっています。その経験からＪＤの必要性を強く感じています。

実はこのことについて、スポーツ経営人材に求められる条件についてまとめられた報告書があります。その考察で**スポーツ経営を担う人材について、求人情報が適切に公開されておらず、その内実もはっきりしていないことがあるため、採用のノウハウがない**、といったことが指摘されていました。

スポーツが好きな人は多いので、関連会社や団体で求人があると良い人が集まるのですが、ＪＤがないためにどこかでうまくマッチングできずに、結果として会社や組織を去ることがあります。

ただ、この問題の解消は、私自身の課題でもあり、スポーツに入ってくるお金を増やしたい、そこを魅力的な場所にしたいと考えています。そのことがフロントスタッフの待遇改善や魅力向上につながり、それが回り回って、スポーツ全体の魅力の向上につながっていくことを考えています。岡本さんが提唱しておられるC＝Cはとても大切ですから、お金の流入にいかに貢献できるか、それができれば「人生悔いなし」とすら思っています。

強みがあれば評価される

岡本　二人ともＪＤを意識して、自分の仕事は何かを常に考えながら取り組んでおられる様子が伝わってきます。評価についてはどう考えますか。

明石　サンノゼジャイアンツではＭＤ（グッズ）の担当もしていたのでロゴの管理のほか、スポンサー営業もチケット販売もやり、全方位で何でもできたことが私の強みで、そこが評価されたのだと思います。日本に戻ってきて、ｂｊリーグの立ち上げから関わったのですが、比較的小さい規模の組織だったので、サンノゼジャイアンツのことを思い出して違和感なく取り組めました。あの時の経験が大きかったと思います。

女性として、後に続く後輩たちに、**「強みを持てると評価されて、先のことを考えなくても、声を掛けてもらえるようになる」**ということを伝えたいです。例えば、結婚・出産を経て、少しブランクがあっても、子育てが一段落つくと、誰かが引っ張ってくれるということがあるので、自分次第でいつでも復帰は可能だと思います。

小谷　スポーツに関わる法人や組織の多くは、その知名度と比べて事業規模が小さいところが少なくありません。大きなところで年間１００億円くらいで、10億円未満のところもざらにあります。これはビジネスの規模としては必ずしも大きいものではありません。そこでの一番の問題は、評価があいまいだということです。これもＪＤがないからでしょう。明石さんのように何でもこなせる人材は求められていると思いますが、一方で、組織としてそこで働く人に何を求めているかが明確ではないところもあります。

今、スポーツ界に重要なのは、データサイエンティストとか、観客をうまく集めることができる技術を持った人たちですが、そういう人を雇うとすれば、かなりの高給となります。こういう人を雇えるような戦略が今後求められるでしょう。

いかがでしたか。

最後に、日本と米国両方でのビジネス経験があり、現在は、アメアスポーツジャパン株式会社で、ウイルソン・ラケットスポーツのブランドヘッドをしておられる垰野哲郎さんと語り合いました。垰野さんは、日本の大学を出てアメリカに行き、その後、外資系企業を渡り歩いて、現在の会社におられます。

対話4　ＪＤと透明性・対等性が日本の働き方を変える

テレワークで「働き方格差」が広がっている

岡本　コロナ禍が２０２０年から本格化し、日本企業においてもテレワークや在宅勤務が一気に進みました。それに伴い「ジョブ型雇用」にも注目が集まっています。私から見ると、この「ジョブ型雇用」も十分なものではないと感じています。垰野さんはテレワークでの働き方をどう見ておられますか。

垰野　**テレワークによって、効率が上がっている人と、むしろ下がってしまっている人の差が顕著に出てきている**と思います。自分自身がやらなくてはいけないことを分かっている人は、テレワークになっても違和感なく自分の仕事に向き合っていけると思うんです。しかし、自分自身が何をしなくてはいけないかが分かっていない人は、無駄な時間が多いのではないかと思います。**全体的には、テレワークによって生産性が下がる方が多いように思います。**

この差は、本書の中心テーマであるＪＤ「あなたの仕事（職責・職務）はこれですよ」ということを、会社が本人にクリアに伝えられているかどうかだと思うんです。

これまでは、会社に行って、同僚がいる場所で「あれ、どうなった？」といった、ちょっとした会話から急いで取り組まなくてはいけないことや、「この先のあの仕事は？」といった中長期的な見通しなども、たわいのない会話から、わりと意思疎通ができていたと思うんです。しかし、テレワークではそういう機会がなくなっています。

そうした刺激やナッジ（ちょっとした肘つつきのような示唆）がなくても、自分自身が何をしなくてはいけないかを分かっていて、**会社が求める成果と自分がやるべきことが一致している人は、逆に、テレワークによって勤務時間がすごく短くなります。**

今まで8時間ほどオフィスに滞在して仕事をしてきた人は半分くらいの時間で取り組むべき仕事が終わっているかもしれません。

もちろん、そういう人たちはこれまでも、「時間」ではなく「成果」に縛られた仕事をしてきたと思います。しかし、通勤時間を節約できることも含め、半分くらいの時間でやるべきことが終わる人もいる。そういう人は、副業や兼業解禁の流れや、自社内での新規事業立ち上げなどに積極的に手を挙げる制度などを利用して、さらに別の仕事に取り組めるのではないかと感じています。

スペシャリストの時代

岡本　まさに働き方においても二極化の時代が来ている。スペシャリストは自分の強みを生かして、さらに専門性を磨き上げていける時代だということですね。

垰野　自分の仕事が分かっている人は自分の強みを生かして、ビジネスを広げていける時代になったと思います。

それで、ここには一つ、日本の社会というか、日本の会社に特有の問題があると思います。実は私は日本の会社で働いたことがないので不思議に思えることがあります。それは「スペシャリストかゼネラリストか」という問題に関連して、私の友人や父親、兄弟の働き方を見てきて思うことなのですが、一般的に、日本では高校や大学を卒業して会社に入り、例えば営業部に配属されます。それで営業畑を歩いていって経験を積み、**いつの段階からか辞令1枚で経営層に簡単に変わることが日本の会社では普通にありますよね。しかし、こういうことってあまり外資ではないんです。**

実は私の友人にそういうことがありまして、ある時に、友人に辞令が下りて経営の方に行くことになったんです。それで友人が言うには、「これまで経営の仕事をしてきたことがないので、経営をどうやっていいのか分からない」と。久しぶりに会った時に私に話してくれたことを思い出しました。

日本の会社は、営業のスペシャリストが、営業成績が良かったということで、ある日を境に経営者やマネジメント層に入ることって普通にありますよね。しかし、これはどうなのだろうと疑問に思います。経営者になる前に、きちんと本人に、「あなたはこれまで営業で顕著な成績を上げてきましたが、この先、これとは違う経営の方で成績を上げてもらうことになります。これでよいですか」という説明や交渉や検討があったのかどうか。本人の側でも、これまでは営業で力を発揮してきたが、今後は経営の仕事に携わりたいので、そういったキャリア形成をしたいと会社と交渉することがあったのか。こういったことは日本の会社ではあまりないのだろうと思っています。

私は、実は欧州のスポーツ会社にいたことがありまして、そこではマーケティングの仕事をしていました。そのセールスヘッドの方と仲良くなって、「将来、私は経営者になりたいんです。できれば日本の会社で」と言ったら、その人は「今のままではなれませんよ」というんです。

岡本　なるほど。

垰野　それでびっくりして、「なぜですか」と聞いたら、「だってあなたはマーケティングしかしたことないでしょ。経営の経験がないじゃないですか。経営の経験がない人に、オーナーが経営の仕事を任せたいと思いますか」

岡本　まさにその通り。

垰野　私も納得しました。そうであれば、私は経営の勉強をして経営の経験を積まないといけない。今から経営を学ぶにはどうすればよいか、その人からアドバイスをもらいまして、経営の勉強や経験を積み、私が実際に経営の仕事に携わるようになるまで、結局7年かかりました。

岡本　野球でも「名選手、必ずしも名監督ならず」という言葉がありますが、まさにそれです。スーパー社員はそのまま経営者になれないということですね。ただ、何かを極めた人は学習能力も高いことが多いので、ある分野で顕著な成績を残せた人は、経営でも力を発揮することができると思います。

垰野　そうだと思います。私も**経営の仕事に入りたい、経営者になりたいと考えて、意識的に学ぶ中で、その時々に一緒に仕事をした経営者の「決断」**を学んだと思います。それも、決断する時に材料がそろっているときの決断の仕方と、材料がそろっていない時の決断の仕方は少し異なったりするんですよね。これはマーケティングしかしたことがない人にはできない仕事だと思います。リスクの取り方なども大変勉強になりました。これは経験しないとできないものです。勉強やケーススタディーでいろいろなことは学びますが、心臓がバクバクするような決断を経営者は求められます。これは岡本さんも経営をされておられるから分かると思いますが、経験がものをいうんですよね。

岡本　そうですね。

ＪＤ（職務定義書）とＣＶ（職務経歴書）

垰野　私の今のポジションのＪＤには「ゼロのものをイチにする。あるものを壊して作り直すこと」と書かれていたんです。それが示された時に、私は**自分の職務経歴（ＣＶ：Curriculum Vitae）と求められるＪＤを比べました。**この比較がキーポイントだと思います。

ＪＤだけを見て、私にはこれができる、できないではなくて、ＣＶと照らし合わせてなぜできるか、なぜできないか、ということが説明できるかどうかだと思います。

会社がＪＤを作るのは、会社が成長するため、あるいは会社に今はないピースを埋めるためです。これは会社にとっての「処方箋」みたいなものです。あるいは会社の棚卸しによってこの先を考えることでＪＤができます。

この「処方箋」に沿って、きちんと実行できる経験を持った人が、自分のＣＶをもって担うことができるかどうかが働く側には問われます。

私自身、ヘッドハンターから「こんな仕事があるよ」と新しい仕事について声を掛けられ、概要を示されることがあります。その時に私は自分のヘッドハンターに、「ＪＤを見せてくれ」とお願いします。なぜかというと、ヘッドハンターはある人をＡ地点からＢ地点へと移して、それでお金をもらうというのがミッションですから、その中身については、まあそれほど考えているわけではないからです。もちろんそれでよいのですが、私はＪＤを見て、その会社の人事部に質問書を送ります。「ここにこう書いてあるが、どういうことか」と。それで、質問に対して、そこの人事部がしっかりと答えられるかどうかを見ています。

しっかりした会社の人事部は、ＪＤに対する私の質問にきちんと答えてくれます。

しかし、質問に明確に答えられない会社は、結局面接をしてもうまくいかないことが多いですね。自分たちの問題点や改善点や、将来、どの方向性に会社を持っていきたいかということが分かっていないのです。**こちらからの質問に対して、概念的かつ抽象的な言葉しか出てこない。これはそのポジションに就いた人に目的から成果まですべて「丸投げ」をしようとしているわけです。**しかし、これは会社としておかしいですよね。

私のＣＶに基づいて、私の経験はあなた方にどのように貢献できるのですか、と少し突っ込んで聞いてみます。そうすると回答がなく、「あなたに考えてほしい」というような逃げ方をされる。

そうなると私としては、この会社は自らの方向性について考えがあるわけではなく、自社が置かれている状況も分かっていないんだな、という判断をします。

形容詞と副詞を使わない

岡本　日本流のＪＤは、外資のＪＤと違って、ずいぶんあいまいな言葉で書かれているものが多いです。おそらく私たちがＣＶを持って、あなたの会社のＪＤは私のＣＶを生かせますか、と聞いても明確に答えられないのではないかと思います。

埣野　**私はビジネスをするときに「形容詞」と「副詞」を使わないようにしています。なぜかといえば、それは人によって捉え方が違ってくるからです。**日本人は形容詞と副詞を使ってビジネスをする方が多いんです。私は部下に対して、「形容詞と副詞を使って説明をするのはやめてくれ」と言っています。

岡本　それは面白い。

埣野　私がアメリカでトレーナーの仕事をしていた時、１９９１年のことですが、フィラデルフィア・イーグルスというＮＦＬのプロフットボールチームがあり、そこでインターンシップを経験しました。そこでは、インターンシップに対してもＪＤがあったんです。

まず、「インターンシップ募集」とあって、仕事の内容がＪＤとして書いてあるのですが、具体的に、「自分の大学のアメリカンフットボールチームのトレーナーあるいはアシスタントトレーナーとして何時間以上の経験がある」とか、「自分自身でリハビリテーションプログラムを複数立案できて、それを選手に説明する能力を持っている、あるいは説明した経験がある」と具体的に書かれているんです。

そうなると、「これってどういうことですか」という質問が出る余地がないじゃないですか。

岡本 その通りです。

垰野 これがJDの本質であるべきです。**書かれていることに解釈の余地がないというところまで落とし込まないと誤解が生じます。**

もしここに誤解があると、運よく、ある人が会社に入り仕事を始めたとしても、どこかで「こんなはずじゃなかった」という、会社側か働いている側の失望が生まれます。なぜかといえば、こういうことだろうと思って仕事をしていても、それは誤解している可能性があるからです。

評価の際に、「あなたのやっていることは違いますよ」と会社側が言ったとして、「いや、ＪＤにこう書いてあるじゃないですか」と言っても、そこに解釈の余地が生まれることが残っていると、評価になって初めて、いやそうではなかったと別の説明をされてしまう、

そこで、ＪＤとＣＶのミスマッチが起きて、結局、会社を辞めてしまうことになる、ということが起きます。

新卒採用とＪＤ

岡本　インターンでもＪＤがある。新卒でもＪＤがあってもよいですね。

垰野　**もし新卒にＪＤを示すとしたら、あなたは大学で何を学んできましたか、その勉強をした人には、この部署の仕事があります、といったＪＤが書ける**と思います。大学生にはマーケティングもセールスも、ましてや経営の経験はありません。何を勉強してきたかということと、自社の部署の仕事内容を結び付けるＪＤを作るべきです。

もし私が経営者であれば、新卒であっても即戦力を採用したいと考えます。そのために、できるだけインターンを経験しておいてほしいと思います。

岡本　日本の就職活動・入社試験は、筆記試験後、面接試験を複数回受けて、採用後は本人の勉強してきた内容や意欲や能力とは別に、君は営業、君は広報、君は総務、というように部署ごとに振り分けていきます。しかしこれは間違いですよね。だから入社後の3年離職率が高い、ということが起きてくるわけで。

埣野　それは会社にとっても、学生にとっても「時間のむだ」だと思いますね。

岡本　**日本に約3千700社とある上場企業の経営者、人事部にぜひJDを導入してほしいと私は願っています。**採用対象者の潜在的な力をぼんやり見るのではなく、即戦力になる人を**本気で日本の企業が求めなければ、大学も変わらない**し、学び方にも真剣にはなれない。ある調査によれば、学生のうち4割は安定志向だそうで、それでは、仕事に対して向かい合う姿勢としてはどうかと思います。

また、本当はこんな仕事をするつもりじゃなかったといって離職する人も3年間で3割だそうですが、これも減らないでしょうね。

それから、人事部の重要性。人事部というのは、本当はその会社のことを誰よりもよく知っていないといけないですよね。だけど、日本の会社の人事部の多くは、内側を向いていて、会社そのものが置かれている位置には意識が行っていないように思われます。

垰野　全くもってその通りです。

ＪＤは働く人にとって実は優しい

岡本　「ＪＤを入れると格差社会が進む」と言われたりするのですが、私は逆だと思っています。働くことへの意識を高め、より高次の切磋琢磨、ライバルがしのぎを削り合う中で、より良いビジネスを作り上げていく、良い循環が生まれると信じているのですが、垰野さん、このあたりはどう見ていますか。

垰野　**ＪＤを会社が作り、それを出すと「後出しじゃんけん」ができないということがありますね**。ＪＤを概念的に書くと、会社は後から、そういうことではなかったと言うことができます。雇われた方は急に仕事を失うわけにはいかないので、会社から何か言われても、少し我慢をするところが出てくるかもしれません。しかし私はそれはアンフェアだと思います。**雇う方も雇われる方も基本的には同等**であって、そこに嘘があってはいけない。その意味でもJDは仕事を伝える「ツール」なので、正確に書かれるべきです。

岡本　なるほど。

埣野　そこはしっかりやっていかないといけない。ただし、文書に書き切れないこともあります。そこは面接の中でしっかりと話し合われるべきだと思います。**自らのCVを示し、それがJDとどうかみ合うかどうかを話し合わなくてはいけない。**

仕事のやり方も実は会社によって異なる部分もあります。結果を求めるだけであればそれでよいのですが、やり方も含めて決まっていることがあれば、そういったことも含めて、話し合いを行い、納得して雇用関係が結ばれるべきだと考えます。

会社と従業員は対等

岡本　なぜJDがこれまで日本では取り組まれてこなかったのでしょうか。

埣野　日本では「従業員よりも会社が上にある」という暗黙の了解があったからではないですか。会社は「雇ってあげる」、従業員は「雇ってもらう」、そういう意識があるから、これまではあいまいでも大丈夫だった。

しかし、これはもう終わりつつあります。というのも、内需型の会社はこの先、やっていけない時代が来るからです。日本の内側だけでビジネスが完結するということはありません。海外との何らかの取引や、情報の受け取りや発信があるボーダーレスでないところでは会社は今後やっていけません。そこでは、**誤解のないコミュニケーションが必要になります。雇用においても誤解のない形、そのためのＪＤがこの先、さらに必要になってくる**と思いますね。

岡本　従業員もまた日本の場合は守られすぎている、居直りを許している法制度があるとも思います。

埣野　それも同意します。しかし、居直っている人の多くは、会社に対しても不満があったり、自分が正当に評価されていないと感じているのではないでしょうか。そこに**誤解の余地のないＪＤを入れていくことで、あなたの仕事はこれです、評価基準と評価の方法はこれですと、事前に互いに確認して合意をしていけば、評価が低い、それは違うといった感情論にはならない**と思います。

もちろん、人のことですので、感情はありますし、それを相手にぶつけるということもあるでしょう。しかしそれとＪＤは別次元のことですね。

岡本　その通りですね。

垰野　それから、こういうこともあります。

ある会社から雇われたとします。ＪＤもクリアに書かれているとします。ＣＶも踏まえて、その仕事を続けてきました。しかし会社は外部環境の変化や状況に対応して変わります。会社の状況が変わることは絶対にあるんです。そうなったら、**会社は、あなたのおかげで次のステージに行くことができました。なので、あなたのＣＶと照らし合わせて、新しいＪＤが必要になりました。辞めてください。と言ってよいと思うんです。**

同時に、雇われる側も、私はここで3年ないし5年以内にこれだけのことをしてくださいというＪＤを示された。現時点において私がここに雇われた時の問題は解決された。となれば、私が持っているものは、次のステージに入った会社には使えないので、ここらでおいとましますよ。と言っていいと思うんです。

岡本　まさしくスペシャリストですね。

埣野　会社もスペシャリストを求めるのであれば、ＪＤに**「3年でこれを解決してほしい」「5年でこれを解決してほしい」ということが書かれる**と思います。その道のプロは、会社に埋もれることなく、必要とされる会社を渡り歩けばよいと思います。

ある新規事業の立ち上げのスペシャリストは、立ち上げた後のご褒美で、その組織のヘッドに就くのではなくて、別の新規事業の立ち上げに取り掛かるべきです。

社員が「辞められない理由」

岡本　なかなかそうはならないですね。

埣野　社員は辞めたくない。また、辞められない理由がそこにあるからです。例えば売り上げが30億円あった会社が10億円まで減った。これを5年でV字回復してほしい。となったときに、自分の経験があればできるだろうと、それで実際にできたとなったときに、うれしいですよね。会社にはその時に、ありがとうございました、ではここまで、とならない理由があるんです。**それは日本の企業の賃金です。賃金が安く抑え**

られている。成功報酬がない。自分の生活を継続させるためには、そこにいないといけない、ということになります。

岡本　日本の賃金は本当に低い。

埣野　外資と日本企業で比較した場合、**外資のレベルで考えると、「あなたはもらいすぎです。歩調が合わなくなるからダメです」と言われた経験がある人って結構多い**と思うんです。外国ではこういうことはありません。

岡本　かつて、日本企業がアメリカ支社をつくって、アメリカ人の社長を雇おうと思ったら、その報酬が日本の社長を超えるから、この値段で雇えないとなって、結局、アメリカの課長レベルの人を、その現地法人の社長に持って来ざるを得なかったという笑えない話がありました。

埣野　そういうことが起きるんです。でも、これではビジネスができないですよね。

岡本　どうすればよいでしょうか。

埣野　社員に与えられるチャンスは平等であるべきだと思いますが、報酬は結果に応じるべきで、必ずしも平等でなくていいと思うんです。

岡本　C＝C（**貢献＝報酬**）ですね。

埣野　その通りです。今の日本の賃金は抑えられているから、**やってもやらなくても差が出ない。そのために意欲が出ない**というところもあると思います。頑張った人に報酬が出るようになれば変わると思うのですが。今は、少し鉛筆をなめて、ほんの少し金額を乗せるというくらいですよね。

それから、日本の会社は、先ほどの話題に戻ってしまうかもしれませんが、専門性がない人を、専門性を持たないままあるポジションに就けてしまう。つまり**報酬で報いるというよりは、高いポジションに就かせることで「問題をすり替えている」**のかもしれません。

岡本　スペシャリストが生まれない「人事異動」ですね。

埣野　私は**社長より高い報酬をもらえる社員がいてもいい**と思います。球団社長よりも、その球団の選手の年俸が高い、というような。これをJDに書いて雇用する。それに理解がない場合は、雇用されない権利もあるから、別の場所に行けばよい。

先にも触れましたが、今後、日本は縮小傾向にあり、内需だけで進んでいける社会ではありません。会社もまた外に向けて競争をしています。特に日本の大手の会社は世界基準で戦っていますから、内向きの論理は今後、継続することはできません。外側のルール、あるいは、市場のルールに適合しない会社は、どこかで立ち行かなくなると思います。

第１章で説明した通り、日本は世界基準で見ると「鎖国」状態で、規制で守られている業種、企業がたくさんあります。ＩＴの進展、ＡＩの導入といったＤＸは今後不可避で、日本のあらゆる業種が、グローバル化し多様性が進みます。

そうした中で、世界は二極化し、国内においても、より先に進んでいく人たちと、先に進むことから離れていく人たちに分かれていくことになるでしょう。成長産業において競争に勝てるスペシャリストが今こそ必要です。

日本の中だけで仕事をしている会社、内向きの会社はそのことが分かっていません。

私がＣ＝Ｃを強調するのには理由があります。

この「失われた30年」で、若い人たちが良い仕事をして一生懸命頑張っていても報酬面で報いられなくなりました。「やりがい搾取」をして、低成長が当たり前となった結果、日本は若い人たちの可能性をつぶしてきてしまったのではないでしょうか。「やってもやらなくても同じ」なら、安定志向に走ってしまう人が増えるのも仕方がないのかもしれません。

これは長い目で見れば日本全体にとっても損失です。夢や希望を持てと若い人たちに話しても、仕事に燃え、いきいきと働いて、生活を楽しんでいるロールモデルとなる大人がどれほどいるでしょうか。

私は子どもの頃、今でも大変お世話になっている王貞治さんの活躍をテレビで見て興奮しました。多くの日本国民が、輝いている王さんを見て、希望を見い出し、自分の人生をそこに重ねながら、もっと稼いで良い生活をするぞ、これから頑張るぞと希望を感じたに違いありません。今なら松山英樹さん、笹生優花さんといった世界レベルのゴルフプレーヤー、大谷翔平さんや菊地雄星さんといったメジャーリーグで活躍する野球選手。彼らを見て、自分もそうなりたいと思う子どもたちが確実にいます。輝いている選手は格好良く、彼らの賞金は一般的な会社の給料や賞与とは桁が違います。

私の前著を読み、連絡をしてくれた人たちと今でも親しく付き合っています。私とは20歳ほど離れた彼らは、私の家族、チルドレンのような存在です。私の本を読んで高校生で連絡を取ってくれたN君は、現在30代後半で国際弁護士。年間5000万円の報酬を得ています。同じく高校3年の時に私に連絡を取ってきてくれたJ君は日本の高校卒業後、米国に渡り、大学を出てアメリカでのインターン経験、日本での球団職員、その後、米スポーツチームでセールス・マーケティングのスペシャリストとして働いていて、やはり30代後半で2000万円の報酬です。

大学1年の時に私のところへ来たN君は金融関係のスペシャリストでやはり報酬は2000万円以上。社会人2年目にあったT君は外資から別の外資に移り、40代前半で2000万円以上の報酬を得ています。

一つ誤解をしてほしくないのは、報酬が高いから偉い、といっているわけではないということです。私がもっとも主張したいC＝Cが日本の会社では当たり前になっていないことへの問題提起です。中途半端なゼネラリストを作り、社内でしか通用しない専門性を磨き上げるのではなく、もっとスペシャリストを会社は重用しなくてはいけないし、働く側も、会社や組織に人生を預けるのではなく、自らの専門性を磨いて、スペシャリストになって欲しいからです。

同じ仕事をしていても、どこで働いているかによって、報酬に差が出てしまっています。30代で今、外資で活躍している人と同じくらいの報酬を得ている人が普通になってほしいと私は願っています。学卒後、日本の会社や官公庁などに入った人の多くは、現在、年収６００万円から７００万円ほどで残業も多い中、働いています。彼らの仕事振りは素晴らしいものだと思いますが、しかし、国際基準で考えると貢献に対しての報酬が低すぎるのです。経営者は覚悟を決めてきちっと報酬を支払うべきですし、働く側も、会社や組織に滅私奉公をするのではなく、堂々と、あるいはフラットに、自分の能力を高く売るべきなのです。

そのことを実践するために、私自身、自分が立ち上げた会社にきてもらった青年には、1000万円の報酬を支払いました。それでも今の日本の組織では普通ではないと思われるかもしれませんが、日本の報酬はそもそも低いのです。

私は、彼に1000万円を支払うことに誇りを感じています。いま30代で頑張っている人に、それだけの報酬を支払っている会社はあるでしょうか。彼にも社外でどんどん自慢しなさいと話しました。決断一つでできることになぜ経営者や人事部は取り組まないのか。ビジョンと決断力がないことに私は危機感と憤りを覚えます。

日本の内側ばかり見ていると気が付かないと思いますが、世界基準では、ビジネスのスピードと競争は早く熾烈なものがあります。また、日本が低成長にあえぐ中で、成長する国の報酬水準は上がっています。

高度経済成長のあの雰囲気を思い出せる人は、日本ではもうかなり高齢の方だと思いますが、かつて、日本も成長に貪欲に取り組んできたのです。若い人たちを安く使うのはやめて、優秀な人たちをしっかりと処遇し、全体の底上げを図るべきだと考えます。

また、何より国の中長期的な展望を持ち、諸外国と戦う霞が関の官僚の給料をもっと上げるべきでしょう。民間以上にしてもよいと思います。そうしなければ、30代で残業ばかりして年収６００万円から７００万円程度では、より能力が生かせて、その貢献に2倍、3倍を払ってくれるところに、若い人たちは移っていきます。

C＝Cを実現しなければ日本のこの先はありません。そして、C＝Cを実現するにはJDが必要なのです。

あなたにしかできない仕事は何ですか。その分野において、オンリーワンになれるようなスペシャリストを世界は求めています。いつでも会社を変わることができて、スペシャリストとしての職を一生貫き通し、楽しく仕事をしたくはありませんか。

誰がやってもいい、さらに言えば、それは誰でもできるといわれる仕事や人材は代わりがいくらでもいる、国内外どこからでも探せる、と言われてしまいます。

時代は進化し、技術もとてつもないスピードで開発されています。

あなたの仕事が正しく評価され、他の人とは代替できない価値の高い仕事を得るために、今何に取り組みますか。

自分の今持っている名刺から会社名と役職、職位を消して、その上で堂々と胸を張って名刺交換ができますか。

スペシャリストと組織内のゼネラリスト。あなたはどちらを選びますか。

第4章　私のＪＤ　アメリカでのビジネス経験

この章では、私自身のビジネスの経験とＪＤとの関わりをお伝えします。

少し遠回りになってしまうように思われるかもしれませんが、ＪＤと私の関わりを知ってもらうことで、日本で今関心が高まりつつある「ジョブ型雇用」や、そこで用いられる「ジョブディスクリプション」をより深く理解してもらえる一助になればと考えたためです。ＪＤを語る私はどのような経験をして、アメリカのビジネスで何を学んできたのかをお伝えします。

「なりたい自分」になるキャリア

現在、「ジョブ型雇用」や「ジョブディスクリプション」についての雑誌記事や書籍、ネットニュースなどを以前より見ることが多くなりました。しかしアメリカでビジネスをしてきた私から見ると少し違和感があります。

その多くは、日本には「ジョブ型雇用」がなじまない、これまでの「メンバーシップ型雇用」と折衷で導入しないといけないという主張なのですが、これはJDの本質を理解している提案とは思えないからです。

私はアメリカのウォルト・ディズニー・カンパニーが100パーセント所有していた会社、ディズニー・スポーツ・エンタープライズ社に日本人で唯一、初めて営業職として雇われました。自分自身、JDに基づいて雇用された経験があり、JDを活用して部下を採用したこともあります。後に130年以上歴史のあるローリングス社の日本法人の初代社長も務めました。その間、日本の企業で有名なトヨタ、コナミ、伊藤忠、ミズノ、横浜ゴムなどで顧問・コンサルタントを行った実績があります。アメリカの企業でも10社以上で顧問・コンサルタントを行ってきました。

ニューヨーク証券取引所（NYSE）にて。中央が筆者。その左はジャーデングループ会社のCEO。右の選手は、2020年から2021年にかけてオリックスで活躍しているアダム・ジョーンズ選手。

日米両方のビジネスを見てきた結果、ＪＤが重要であると強く確信しました。

第１章で述べた通り、ＪＤを導入することで仕事の質が上がります。

また、私たちが主体的に、夢と希望を持って「なりたい自分になる」ためのキャリア構築が、ＪＤが普通に使われるようになると、前向きかつ建設的にできるようになります。

そして、働く立場だけでなく、雇用する側である会社や組織にとっても、仕事の質が高まり、収益をしっかりと上げ続けることができるなど、適正な評価、より優秀な人材の確保、競争力の保持、雇用環境の改善やイノベーションが起こりやすくなります。

少し長くなりますが、私がスポーツビジネスに関わっていった経緯やそこで学んだことをお伝えできればと思います。

野球と私の人生

私は１９６６年１月に岡山県で生まれました。両親と姉と私の４人家族で、私の世代の方なら共感してくれると思いますが、子どもの頃の遊びといえば、とにかく野球で、時間があれば野球ばかりしていました。

子どもの頃はよく父にグローブを持たされてキャッチボールをしました。

父は野球好きで、小学校のスポーツ少年団の監督もしていたので、私もそのチームで野球を覚えて、中学では野球部に入り、高校進学後も、野球一筋の生活を送りました。

ちなみに、今ではビジネスで英語を使いこなしていますが、中学生の頃は最初、英語が苦手でした。初老の男性教員が教える英語が嫌いだったのです。でも、ある時、これではダメだと思って母親に相談し、近くで熱心に英語を教えてくれる塾に通いました。塾の先生はとても熱心に教えてくれて、おかげで英語が大好きになりました。

好きになると上達が速くなるものです。野球部でも中学３年生の時にキャプテンになりました。夢は、高校野球で甲子園に出ることでした。

高校は、地元で唯一甲子園制覇をしたことがある岡山東商業高校を選びました。私の入った年から野球部でも古豪復活に向けて本格的なてこ入れが始まり、さらに上を目指して新入生も練習に励みました。1年生の秋にはベンチ入りのメンバーに選ばれ、2年生の夏には肩の強さを見込まれキャッチャーにコンバート。かなり張り切って野球に取り組み、このまま順調に進めば3年には甲子園に行けると疑っていませんでした。

しかし、3年生の春に肩を壊してしまったのです。

春先の少し寒気が残る日、投球した時に「バキッ」という音がして、肩に激痛が走りました。しかし、それが大きなけがにつながるとは思わず、痛みをこらえて、そのまま練習を続けてしまいました。当時は何でも気合と根性で取り組んでいましたから、今のような科学的なトレーニングや、合理的な練習や適切な治療という考え方はありませんでした。

その結果、4月、5月とボールが投げられない状態が続いてしまいました。皮肉なことに、運命は常に失敗と成功が交互にやってきます。私は初めての挫折をそこで経験しました。

夏が近づくと、治療の成果も出て何とか少し投げられるようになり、キャッチャーとして待望の地区予選を迎えました。

しかし、序盤でピッチャーが大乱調。序盤の出遅れを挽回できず、そのまま倉敷商業高校の野球部に負けてしまい、あっけなく初戦敗退となってしまいました。後年、大変お世話になる星野仙一さんの母校、倉敷商に負けたことは今となっては何かの「縁」すら感じますが、その時はそんな余裕は全くなく、幼い頃からの「甲子園出場」という夢が破れ、しばらく呆然としていました。

何となく家に帰ることもできず、親戚の家に行き、そこで4、5日、ぼーっと過ごして、これからどうしようかと思っていたことを覚えています。

大学進学後、縁あって野球を支える方向へ

甲子園の夢も終わってしまった。高校卒業後、どうしようか……。岡山の書店に行き、たまたま書籍を見ていたところ、中央大学に勤労学生制度があることを知りました。ちょうど始まったばかりであまり知られていない制度でした。これを活用して中央大学に合格することができました。合格が決定した後、2月のことでしたが、中央大学に進学することが周りに伝わり、その中には中央大学野球部に縁がある方もいました。実は私はその時は野球は高校でやめて、その先、関わることは考えていなかったのですが、「選手でなくても、マネジャーの形で関わることができる」とその方のご尊父に言われ、それもそうだと思い、また、相談した方に背中を押してもらえて、中央大学野球部の門を叩きました。そこで、王貞治さんの恩師として有名な宮井勝成監督と知り合うことができました。

中央大学野球部ではマネジャーとして本当に貴重な経験をさせてもらいました。先輩やＯＢの方々には今でもとても感謝しています。その後、ビジネスでも役立つ人脈構築やネットワークの大切さをこの時代にたくさん学ぶことができました。

特に、入部4カ月後、私にとって凄い巡り合わせがありました。

１９８４年のロサンゼルスオリンピックで野球が公開競技となり、日本の野球界でも初めて代表チームが編成され参加することとなりました。そのオリンピックチームが渡米前に母校中央大学のグラウンドで数日練習することとなり、その練習を身近に感じられました。ここにはさまざまなメディア、野球界の凄い方々がたくさん来ていました。その方々に、私は大学に入ったばかりの1年生マネジャーとして一生懸命、お茶を出したり、お世話をする機会がありました。その中で、あるスポーツメーカーの方が、「野球の本場はアメリカだ。英語とスペイン語が重要だ。しっかり勉強しろよ」と激励してくれました。

これが私にとってその後の人生を決める大きなターニングポイントになりました。後に、アメリカでアトランタオリンピックで活躍する日本代表の野球チームのアシストをすることになります。私の人生でアメリカに目が向き、アメリカへ行くことを考えた瞬間でした。

裸一貫、海外へ

アメリカに行きたいと大学1年の夏から思い続け（さらに「摩天楼はバラ色に（原題：The Secret of My Success)」という映画を見て、マンハッタンに行ってみたい、自分もこうなるんだと憧れました）英語もビジネスで使えるくらい習得したかったことから、単身で最初はカナダに、その後、渡米しました。

私が卒業した当時は「バブル経済」のさなか。現在の若い人たちが直面しているような厳しい就職状況とは異なり、日本での就職は比較的しやすい時代でした。

西武ライオンズや福岡ダイエーホークスの球団代表を歴任した坂井保之さんと根本陸夫さんからは「将来、君が願っている渡米もできるから、まずは西武に来ないか」と当時、何度も優しくお誘いいただいたほか、中日ドラゴンズからもありがたいことに熱心なお誘いを受け、面接にも呼んでいただきました。

しかし、その面接の場で丁寧にお断りしたことを鮮明に覚えています。どうしても渡米したい、英語が話せるようになるだけではなく、文化や商習慣も学び、人脈を築きたいという自分の思いを通しました。生意気な若者を温かく送り出してくださった皆さんに今でも深く感謝しています。

アメリカでのビジネス経験

私のアメリカでのビジネス経験を先に簡略に示します。

そこで学んだことや、より詳しい経験については、後ほど改めて項目を起こして説明します。

１９８８年12月：カナダ・バンクーバーに渡る。

１９８９年１月：中央大学野球部ＯＢの縁で、サリナス・スパーズという１Ａの球団に若いスタッフが必要だから来ないかと打診される。

１９８９年２月：カナダ・バンクーバーからアメリカへ。ジョー・ブーザス氏（キング・オブ・マイナーリーグと呼ばれた名物球団経営者）の下で、オペレーティングマネジャーとして営業を含むあらゆる仕事をこなす。球場ではビールやホットドックやピザ、プログラムを売り、日清食品アメリカ支社と交渉してカップヌードルも販売。

球場の外でもチケット、プログラム、場内看板の広告権を売り、ラジオ広告から代金の回収まで行うなど、収入が上がりそうなことは何でもアイデアを出して試してみる。アメリカの球団は独立採算制なので、あの手この手で収益を上げる方法を考える。こうした中でスポーツマーケティングを実地で学ぶ。また、ヤクルトやダイエーの若手選手も在席していたので、球団への送り迎え、食事の準備、遠征先への帯同も行う。

1990年1月：ブーザス氏に球団のゼネラルマネジャー（GM：球団代表）を任される。なんと24歳。こんなことがあるのかとびっくりした。同時にこれがアメリカンドリームだと感激した。これが私のビジネスの本当のスタートだった。前任のGMと私ではビジネス上の進め方について意見の相違があり、オーナーのブーザス氏と前任GM、自分の3人で腹を割って熱い議論をした結果、ブーザス氏が自分を評価してくれた。前任者を解雇したことに驚いたが、国籍、年齢、性別、学歴、宗教等にかかわらず、良いものは良いと評価してくれる懐の深さに感銘を受ける。しかし、一方で前任GMが簡単に解雇されたのを見て、ビジネスの厳しさも知る。その後、オーナーのブーザス氏にメジャーリーグのすぐ下の3Aポートランド・ビーバーズで働かないかと誘われる。

1991年1月：オレゴン州ポートランドへ。ポートランド・ビーバーズのセールス・マーケティング部門で働く。しかし良いことと悪いことは交互にやってくる。車で移動中に交通事故に巻き込まれて車は全損し廃車。私のけがは幸いにして大したことはなかったが借金からのスタート。2万人入る大きな球場のオフィスで一人寂しく2カ月弱暮らしてお金を貯めた。当時の上司が使っていいと鍵を渡してくれて、夜中も一人寂しくオフィスのソファで寝て、トークフリーの電話を使って英会話の練習をするなど、工夫を重ねてできることに取り組んだ。

しかし、前向きに取り組めることはしっかりやろうと、できるだけ多くの人と会い、日本人の駐在ビジネスマンの子弟が通う日本人学校で札幌とポートランドの少年野球の指導をきっかけとして交歓イベント（サッポロナイト）を企画する。札幌市とポートランドは姉妹都市の関係にあり、サッポロビールにもお世話になった。

1992年：メジャーリーグで仕事をすることを目標に定めながら3Aで働く。

1993年2月：かつてはマイケル・ジョーダン、今は八村塁もいるNBA（ナショナル・バスケットボール・アソシエーション：世界的人気を誇る、プロバスケットボールリーグ）のニュージャージー・ネッツのコンサルタント、次期社長予定だったジョン・スポールストラ氏から電話。「ネッツに来ないか」と誘われる。ジョンはスポーツビジネス、スポーツマーケティングの世界では大御所で、彼の著書は大学のテキストとしても使われていた。野球は大好きで知識と経験はあったがＮＢＡには経験も知識もない。しかしジョンから「ヨシの野球への執着心はよく知っている。しかし、スポーツ・マーケティングで必要とされている発想は、どのスポーツでも共通している。真剣に考えてみないか」と説得される。２月末にニュージャージーまで片道５時間のフライトで会いに行く。それから１週間後、ＮＢＡ入社決定かと思ったら「ちょうど今、新しい話が来ていて、マイティダックスのフロントの人材を探している」と言われる。マイティダックスは、エンターテインメント界の世界的大企業ウォルト・ディズニー社が設立したディズニー・スポーツ・エンタープライズ社が新設したプロアイスホッケーチーム。日本人のヨシにはＮＢＡよりディズニーの方がベターなのではないかという「親心」で話してくれたと後で知る。

１９９３年３月：アイスホッケーのプロリーグ（ＮＨＬ）マイティダックスに入る。アメリカのメジャースポーツのフロントで正社員としてマーケティングを担当した日本生まれの日本人は初めて。スポンサーシップ・マネジャーという役職で入社。ＮＨＬ全体、アメリカ４大メジャースポーツ全体を見ても、マーケティングマネジャーとして日本人正社員は当時いなかった。

１９９３年８月：ディズニー本社で働かないかと提案される。もしマイティダックスを辞める時は、ジョンへの義理があるのでネッツに戻ることにしていたが、コンサルタントでもよいので、ディズニーに来てくれないかとありがたいオファーをもらう。その当時は、意気盛んで生意気な交渉力があり、それが買われたものと思われるが、わずか半年ほどの勤務で給料とは別にボーナスとしてディズニーは３万ドルの小切手を送ってくれた。金額も大きくてうれしかったが、それ以上に自分に対してそのような評価をしてくれていることが素直にうれしかった。

１９９４年１月：ジョンと来日してスポンサー企業獲得のためにハードスケジュールで日本企業を回る。精力的な営業スタイル。誰も取り組んだことがないことに果敢に挑戦するジョンの姿勢に感銘を受ける。

1995年：ジョンがオーナーとの経営方針の違いから退社し、ジョンに引き立てられた私も退社を決意。ちょうど、かねてより念願だった1996年アトランタオリンピックで日本チームのアシストを頼まれていたこともあったので、ジョンも辞めるし、タイミングがよいかと考え、NBAを辞めることとした。

先に書いた通り、私が大学1年の時に1984年のロス五輪の野球日本代表チームを見たことが渡米のきっかけで、オリンピックで日本チームのアシストをすることが自分の夢だった。

ネッツを正式に辞めたことを日本野球連盟会長の山本英一郎さんに伝えると「ならば、どうだ、ヨシ。以前から言っていたことだけど、アトランタで手伝ってくれんか。まずは、2月の春キャンプをアメリカでやろう」と提案していただいた。

オリンピックに向けて海外の暖かいところで合宿・練習試合をしたいとのことで、人脈を駆使して、MLB球団との練習試合、球場の確保などを行った。アマチュアのチームがアメリカのＭＬＢと試合をするのは初めてのことで、日本のニュースなどで大きく取り上げられた。

また、合宿には数千万円かかり、予算的に厳しいところがあったので、練習試合を行う球場内に広告看板を出し、その広告料を日本代表チームの収入にすることや、その許可を得るためにＭＬＢ球団の国際試合を管理するＭＬＢインターナショナルの最高執行責任者（ＣＯＯ）ティム・ブロスナンに会い、許諾を得るなど調整をした。

ティムは元野球少年で弁護士を経てＭＬＢ事務局に入った男で、野球を愛していることから、自らのＭＬＢ事務局の短期的収益にはつながらないとしても、中長期的には利益を得られると考えて、日本のアマチュア野球チームとＭＬＢ球団の歴史的な試合を中継することを提案。その放映権料も日本代表に寄付したらしい。

１９９７年２月：アトランタ五輪で知り合った小松裕先生（日本代表チームドクター）に日本帰国中に診察を勧められる。それで命を助けてもらうとは思いもしなかったが、検査で腎臓に２・５センチのがんが見つかる。手術は成功。しかし高熱が下がらず、一時は病院側も死を覚悟。両親に連絡を取るも、担当医の機転で５年前に同じ症状で亡くなった男性に使えなかった白血球を増やす新薬で何とか生還。運が良かった。

大変お世話になったお二人、日本野球連盟会長の山本英一郎氏と MLB エグゼクティブバイスプレジデントのティム・ブロスナン氏。MLB 開幕戦の日本開催を記念したレセプション会場にて。

MLB 最終試合後のフィールドに入り、カンザスシティ・ロイヤルズのレジェンド、ジョージ・ブレットと喜びを分かち合った。ブレッドは球団の共同オーナー。

少し長くなってしまいましたが、これが私の渡米後のビジネス経歴です。スポーツ・エンターテインメントを中心にマーケティングのスペシャリストの経験を積んできました。後にアメリカでも起業し、オカモトスポーツマーケティングアンドマネジメントインターナショナル、日本の会社はOSMインターナショナルにして、その後、アメリカの会社は清算し、星野ドリームズコーポレーションをつくりました。

先にお伝えした通り、私は1988年末からカナダで海外生活を始め、1989年にアメリカのマイナーリーグ球団での挑戦が始まりました。

夢と希望にあふれながらも、最初は暮らしも苦しく、英語習得も大変。交通事故、借金生活といろいろなことを経験した最初の4年間でした。若かったからこそ経験できたことだと思います。

とても刺激的な日々の中で、たくさんのチャレンジから、本当に多くのことを学ぶことができました。

ウォルト・ディズニーグループの会社に「日本人初社員」として採用

先に簡単に触れた通り、１９９３年にアメリカ４大メジャースポーツのアイスホッケーチーム（ＮＨＬ）にディズニー社の社員として入社しました。今でもディズニー社の社員証・名刺は大事に保管しています。ここではそれまでキャリアを積んできた野球を離れて、より高いレベルのビジネスの世界の人たちと出会い、多様な価値観に触れ、刺激的で濃密な時間を過ごしました。

牛丼の吉野家をアメリカで初めてメジャースポーツ施設にプロデュースしたことは、今でもとても自慢で、当時、アメリカのスポーツ界でもニュース記事になりました。もう半年早く吉野家の社長と出会っていれば、ディズニーランドに吉野家が出店できた可能性がありましたが、残念ながらマクドナルドにその権利は奪われました。

とはいえ、アメリカでは常に順風満帆であったわけではありません。むしろ困難と向き合うことが多かったと思います。先述した通り、交通事故に巻き込まれ、借金生活からのスタートでした。しかし負けることなく1年後には借金を何とか返すことができました。こうした経験も私自身の糧になっています。苦労や失敗を経験することは成功にとって重要なことです。また何よりも大切なのは苦労にめげず、ミスや失敗に負けない小さな努力を続けることです。

英語の勉強はフリーダイヤルで

私は最初からビジネスで使える十分な英語を使いこなせていたわけではありません。少ない蓄えの中から英語学校の費用を出したり、人脈づくりに励むようにしたりしていました。それ以外にも仕事をしながら、お金がかからない方法で勉強を続けました。

例えば、航空券のトークフリーの予約カウンターに電話をして、実務上、必要な情報を得るとともに、仕事で使える英会話の練習もしました。「今度の土曜日、ニューヨークに行き、その後、シカゴに行って、月曜日までに戻ってきたいのだけれど、最も良い便はありますか」「それだと予算オーバーなので、もっと安い料金で行きたいんだけど、どうすればいいですか」。これらは仕事のための質問ですが会話の練習になり、関連する実務情報も積極的に質問して、その中から使える表現を実地で学びました。

30分ほどかけてさまざまな情報を得て、また英語の練習もして「ありがとう。検討をして、あなたのところで予約するようにします」といって電話を切りました。

週末にはバーに出掛けて、会話を楽しむようにしました。「もし、私の英語が変だったら遠慮せずに指摘してほしい」と伝えて、ここでも生きた英語を学びました。これらは、教室で学ぶような英語表現ではありませんでしたが、心が通じ合う表現、分かりやすい表現など、実際に使える表現をこうした経験からたくさん学ぶことができました。

人脈構築術ー「邂逅」と「縁」を大切に

ビジネスにおいては、ネットワーキング・人脈構築がとても大切です。

私自身、中央大学野球部のマネジャー時代から、多くの優れた先輩や野球界の偉大な方々とのつながりの中で、その振る舞いや言葉掛けから学び、経験を積むことができました。

こうした「出会い」「邂逅」「縁」で、私の人生がつくられてきたといっても過言ではありません。

1994年、私が在席していたNBAニュージャージー・ネッツでは、ジョン・スポールストラ社長のおかげで多くの「邂逅」と「縁」を頂きました。

特に、ジョンと日本に行き、日本の関係企業を一緒に回ったことはとても印象深い経験となりました。新たな契約を獲得するために日本の大手企業やスポーツ用品メーカー、スポーツに理解のある企業等、十数社にアポを入れて、各社で一生懸命プレゼンしました。そうした中には、今でも付き合いのある方々がいます。

これは、誰も思い付かなかったことを実行したこと、それを社長自ら挑戦する姿を私が間近で見ることができたということで、私にはとても良い経験でした。

ジョンは、私にこう言いました。「正しいビジョンだと思ったことは、自信を持って継続しなさい。そのことは必ずいつか報われる」「良い考え、アイデアは、社会的な立場が高いとか低いといったことに関係なく、どんな人からでも受け入れるべきだ」。この言葉は私にとっての宝物です。

交渉相手を間違えない

ＭＬＢのティム・ブロスナンが、オリンピック野球日本代表チームとアメリカメジャーリーグのプロ球団との試合の放映権料を日本代表チームに寄付してくれた話は先にした通りです。

私はブロスナンの提案とは別に、球場で看板を掲示し、その広告料を日本代表の合宿費用に充てたいと考えていました。

交流試合が日本全国で放映されることが決まれば、これは大きな広告効果がありま す。今では、当たり前のように野球中継でバックネット裏やさまざまな場所に企業名が入っている様子を見ることができますが、１９９６年2月の段階で、ＮＰＢの12球団のどの球場にも日本企業はネット裏の広告は行っていませんでした。その広告ゼロの時代に実現させることができたのは、やはり感慨深く、とても良い思い出です。

そうした広告効果によってスポンサーの認知度が日米の野球ファンに高まるという利益があります。これは球団での経験があったので思い付きました。

当時のオリンピックに参加する日本代表チームには、多くの日本企業の現役野球部員が参加していました。彼らはそれぞれの企業に所属しているので、日本野球連盟から連絡を取ってもらえれば、広告協賛金が得られるものと当初は考えていました。

しかし、結果から言うと、当時、連盟ではその広告協賛金をなかなか成約することができませんでした。協賛金が取れないという連絡を受けるたびに私は、交渉するルートを間違えたかなと反省したものです。

おそらく、連盟では現場レベルのマネジャーから企業の野球部長などに、「交流試合が全国で流れるから、そこに広告を出しませんか」と会社のしかるべき担当者に連絡してほしいという打診をしたのだろうと思います。

しかし、多くの企業において広報部や総務部といった本社管理部門に届くまでにはさまざまな人的な壁があります。忙しさもあってか、あるいは打診の仕方がよくなかったのか、なかなか広告料をもらえる契約にはつながりませんでした。

ところが、この広告費用は効果から考えると破格に安いもので、参加しないデメリットの方が大きいと私は判断していました。

そこで、自分で得ていた人脈でつながっていた企業役員、宣伝・広報担当の責任者、販促担当者等に、連盟とは別に直接アプローチをして、メリットを伝えて広告協賛金を頂くことができました。ある企業の役員からは「この値段では破格だよ。ぜひ出させてほしい」と直接、連絡をもらいました。

この時に学んだのは、「予算を持つ人や決裁権者など、しかるべき人にしかるべきルート・方法で直接話を通さないと、通るものも通らなくなる」ということでした。

事実、連盟が取れなかったものを私が取ることができたのです。今ではこの意味をさらによく理解できますが、適切に判断し、決裁権を持つ人のところへ情報を届けないとこういうことが起きます。何かを売り込む時、また相手にとっても必ずメリットがあると思われる時には、その決裁権者に正確に情報が届くようにしないといけません。

感謝の気持ちを込める

日本人の心遣い、おもてなしは世界にもよく知られています。しかしアメリカにおいても実は「義理と人情」はあり、誠意を持って正直に真摯《しんし》に取り組むことの価値は世界共通です。

私は学生の頃から、お世話になった方に翌日には手書きの礼状を必ず出していました。また、再度お会いした際には、以前お会いしたことをお伝えし、礼状を読んでいただけましたかとお声掛けさせていただきました。今も大変お世話になっている王貞治さん、ダイエーの根本陸夫さん、中日・阪神・楽天などで名監督だった星野仙一さん、企業の方々にもそうしたやりとりを通じて名前を覚えていただきました。

アメリカでも私は礼状を書くことを励行しました。

私は字が上手ではありません。しかし、あえてつたなくても手書きでの手紙・カードを出すようにしました。むしろ、活字のそっけないカードやお手紙よりは、手書きでも丁寧に書いた方が誠意が伝わります。自作のサンキューカード（Thank You card）は、印刷された無個性のものではないので、印象と記憶に残ります。

直接話すことも効果的

手書きの手紙やカードと同じように、自分の声を直接届けることも大切です。

ベストは、直接お伺いして直に会うことです。

電話なら短い時間で相手にとってメリットがあり、こちらの提案を聞いたり、一緒にビジネスをすることが利益をもたらすということを理解してもらうことに有効です。

また、その中で自分のアイデアや自分自身を売り込むことも大切です。そうしたところから、決裁権を持つ人たちとの親密な関係もできていきます。打ち解けることができれば、ファーストネームで呼び合う信頼関係を構築することもできます。

こうした信頼関係があると周りのスタッフや秘書等にも分かれば、さらにその先のビジネスも円滑になります。アシスタントや秘書に名刺を渡し、時にはプレゼントなどもあげたりして関係構築に努めました。

また、いったん重要人物に認めてもらえると、その周りにも重要人物がいるもので、どんどん紹介してくれたり、何かの時に力になってくれたりするものです。人脈に入ることで、ビジネスが広がっていくのです。

印象を持ってもらうためにちょっとした工夫もできます。

私は一時期、ネクタイの柄で相手に認知してもらえるように試みました。

スポーツに関係する柄のネクタイをしていくと、そのことで一つ話題ができます。

また、次回以降会うときにも、どんなネクタイで来るのかなと相手に期待を持ってもらえることがあります。ちょっとした会話がネクタイから始まるのです。

また、握手をする際にも、相手の目をじっと見て、少し力を込めて握手をするようにしていました。そうしたことで、印象深く思ってもらえたことが何度もありました。

粘り強く取り組む

社会的地位の高い人ほど、その時間を確保することは難しいものです。

しかし、3分でも5分でもよいので会わせてくださいと熱心に頼むことで道が開けることがあります。5分でもよいから会わせてほしいとお願いし、私の提案を50分も聞いてくれたのは、ボブ・グリーンバーグという当時、アメリカパナソニックでアメリカ人ではナンバーワンの地位（全米でもナンバー2くらい）にいる人でした。社会的地位の高いエグゼクティブは秘書がいて直接電話もつながりませんし、アポを取り付けようとしても、なかなか会わせてくれません。しかし、粘り強く取り組み、会うことができたら、そこでの機会を生かし切ることがとても重要です。

第5章　若い人たちに伝えたいこと

ここまでJDがなぜ必要なのか、日本流のJDではなく、グローバルスタンダードのJDを導入することで、私たちの働き方はどのように変わっていくのか、不正や不要な忖度が生まれない仕事をどのように構築していくのかをさまざまな角度から説明してきました。

切磋琢磨の競争に勝つ力

実は、この思いを私が一番伝えたいのは、若い人たちです。

これまでも、私は多くの若者たちにアメリカの球団でインターンシップをする機会を持ってもらったり、少年野球の世界大会の支援をしたり、今後の日本を背負って立つ人材育成に力を入れたいと考えて実行してきました。

特に今後、私は利他の精神を持って人を残す仕事に携わり、若い人たちに私の経験を伝えたいと考えています。**世界で活躍してもらいたい、そのためには切磋琢磨の競**

争に勝つ力を持ってもらいたい。何より「鎖国文化」のような日本の基準ではダメだということを強く感じます。

かつての鎖国は黒船が来たことで変わりました。歴史的に見ても、日本は常に世界から対応を迫られて初めて変わるだけで、自分たちからは変わらないところがあったかもしれません。しかし、日本は今、自分たちの意思で変わらないといけないのです。もしくは、このことに気が付いた人たちが自ら動いていかないといけないのです。

私は、若い頃に大先輩から多くのものを受け取ってきました。今それを若い有為な人たちに渡したいと考えています。

根本陸夫さんから言われた言葉を私は忘れることができません。根本さんは、「俺が泳いで渡り切れなかった川を、俺が橋になって、君を向こう側に届けたいんだ」と話してくれました。私も自分の努力が自分に報われなくてもよい。先人から頂いた恩を私の子や孫の世代に伝えていきたいと考えています。

明治時代から昭和初期に活躍した医師・官僚であり、その後、政治家として内務大臣、東京市長等を歴任し、行政改革と都市政策の先駆者として活躍した後藤新平は、

「金を残して死ぬのは下
事業を残して死ぬのは中
人を残して死ぬのが上」

という言葉を残しました。
また、野球界で監督として南海、ヤクルト、阪神、楽天の4球団を率いた野村克也氏も後藤の言葉と同じ意味で、

「財を遺すは下、仕事を遺すは中、人を遺すは上とする」

という言葉をご自身の著書で取り上げています。

若い人たちには、将来の夢を持って、自分が本当に就きたい仕事・職に妥協することなく向かっていってほしいと願っています。

そのためには、先に触れたスティーブ・ジョブズの言葉「偉大な仕事をするには、あなた自身がしていることを心から愛することだ。」を実践してもらいたいと願っています。

高校や大学の選び方も職業との関係で真剣に考えるべきですし、今、日本の会社ではインターンシップ制度にも積極的に取り組み始めているところも多いですから、ぜひ実務をインターンシップで体験し、そこから**学生時代に学ぶべき専門分野を究めてもらいたい**と思っています。

もしこの本を読んでいるあなたが大学生なら、あなたの大学は、あなたの夢を応援していますか。就社ではなく就職を応援していますか。大学の都合で、あなたの学びを阻害していませんか。いずれ社会に出て活躍するあなたを応援するために、実務に長けた人を大学に招いたり、即戦力として活躍できるインターンシップ制度を支援したりしていますか。

学生の本分は勉強と実社会で学ぶことです。尊敬できる人生の先輩を見つけて、その後ろ姿を見るだけでもたくさん学べることがあります。まねることからも学びは生まれます。

後者については、多くの素晴らしい先輩や大人に鍛えられて、私は今の自分があると思っています。今の学生は真面目だと聞いているので、私たちの時代のような「飲み会」「遊び」に明け暮れる学生は多くはないでしょうが、ぜひ職に向けた大学での学び、社会での経験を積んでいくことで、就社ではなく、人生を懸けるに値する「就職」をしてもらいたいと願っています。

パイオニアになる

若い人たちには、ぜひ**成長産業と衰退産業を見極めてもらいたい**と考えています。

若い皆さんから見て、どのような会社・組織が魅力的ですか。目先のことではなく10

年先、20年先を考えてみてください。

先に触れた通り、企業に入社しても新卒で3割が離職していく時代です。苦労して就職活動を行い、内定を勝ち得たはずなのに、入ってみたら思っていた仕事とは異なっていた。自分のやりたいことはこれではなかった。人事異動で適性のない場所に回されて「3年頑張れ」と言われた。これは「やりがい搾取」なのではないかと若い人が思うのも無理はありません。**時間は有限で有効に使わなくてはいけないのです。**他人の都合で自分の時間を使われてはいけません。

あなたが一生を懸けて取り組みたい「職」は何ですか。
そのために学び、積み重ねていく専門性は何ですか。

言い訳や愚痴が先に出てくるのではなく、生き生きと大人が働いている会社や組織、本当に取り組むべき仕事を見定めて、**前向きに、困難を乗り越えながら一生懸命取り**

組んでいる人たちと一緒に仕事をしてほしい。

ぜひ、あなたの目標、夢、希望を持ってください。

夢を実現する「4C」と「3F」

私は夢を実現するための四つのCと三つのFがあると若い人たちに話しています。

四つのCとは「チャレンジ」「チェンジ」「クリエイト」「コントロール・ディスティニー」です。

チャレンジとチェンジは、新しいことに挑戦してあなたが物事を変えていくという意味です。若い時には失敗を恐れず、試行錯誤を繰り返すことが大事です。日本にはクリエイト、創造することが足りないと私は感じています。もっと新しいことにチャレンジして物事を変えていかないといけません。その結果として、クリエイトが生まれてくるのです。

また、自分から自分自身の運命を切り拓く（コントロール・ユア・オウン・ディスティニー）も日本には足りないと思います。与えられたものに満足し、ただ従っているだけでは、クリエイトも、コントロール・ディスティニーもできません。ぜひ、自分から動いて、自分から新しいものを生み出していってください。

そして、人生の幸せは三つのFにあります。「ファミリー」「フレンド」「ファン」です。

家族（ファミリー）と友人（フレンド）はあなたの人生を豊かにしてくれるでしょう。彩りのある人生は、孤独の中にあるのではなく、喜びや苦しみを分かち合える近い存在の人がいてこそです。

友達は自分でつくれるものですし、配偶者は自分が選ぶ存在です。自分から動くことで、幸せをつかむことができるのです。また何らかの事情で子どもが授からなかった人には、アダプト（養子）という方法もあります。まだ日本ではそれほど熱心に取り組まれていないと思いますが、社会的に成功した私のアメリカの友人は、自分の子ども以外に積極的に養子を受け入れて、わが子と同じように愛情を注ぎ、立派に育て上げました。

「ファン」は、あなたを認め、支えてくれる人です。あなたが魅力的な発信ができるようになれば、あなたのファンも増えるでしょう。ユーチューバーのようにスマホやSNSを活用して、個人であっても誰もがその気になって努力すれば、どこにいてもいつでも活躍できる環境が整っている時代です。スマホ1台でいろいろなことができます。ぜひ、あなたのファンを増やしていってください。

24、7、52×100年

私が友人に言われた言葉で忘れられないものがあります。

それは、「ヨシ、人は生まれながらにして不平等だ。恵まれた人もいれば、そうではない人もいる。でも、**誰もに平等なものが一つある。それは与えられた時間だ。**それを有効に使える人もいれば、使えない人もいる。でも与えられた時間は平等なんだ」

私はこの言葉にとても感動したことを覚えています。

一日は24時間。1週間は7日。1年間は52週。この時間をあなたは有効に使い切っていますか。ぼんやりしていても、一生懸命何かに取り組んでいても、時間は同じです。誰しもに平等に与えられています。その時間をいかに有効に使うか。その使い方があなたの人生を決めます。

その中には、ワークライフバランスを充実させることも含まれます。人生のある時期において、がむしゃらに働いて、資産をつくるということがあってもよいでしょう。私自身、若い時は、よくこう言って自分をアピールしていました「私は1日、25時間働き、一週間に8日働く自信がある！」

JDはC＝Cを原理とするので、貢献度の高い仕事には良い報酬がついてきます。

利他の心

世知辛い世の中でつらいことがたくさんあります。コロナ禍のために仕事を辞めなくてはいけなくなった人もいるでしょう。

私が心を痛めているのは、何かに悲観して自殺してしまう人がいることです。ニュースで自殺の報道を見るたびに、死ぬことを考えるくらいなら、一生懸命生きることを考えて実行すれば、必ず道は開けるのにと悲しい気持ちになります。

また、**自殺はある意味において自分のことばかり見ていることで起きてしまうものです。**誰かのために生きなくてはいけないと思える人は、本当につらくて死にたくなったり、消えたくなったりしても、誰か別の人のために生きられるはずです。自分のメンツや自分のプライドといった自分のことではなく、あなたを必要としている誰かのためにならば何かができるはずです。ぜひ、**利他の心**を持ってもらいたいと思っています。

１００年後の日本

日本の１００年後はどのような姿でしょうか。

もし国会議員にＪＤがあるとしたら、どのような内容でしょうか。内閣総理大臣はじめ国務大臣にはどのようなＪＤが書かれるのでしょうか。

大臣の不祥事がニュースになることがあります。ＪＤは経営者や人事部が書くものです。内閣の「人事部」は、内閣総理大臣や内閣官房長官だと思いますが、本当に「適材適所」と考えて大臣を決めたのでしょうか。

ＪＤがあれば、すぐに評価をすることができます。また政治にはマニフェストがありますが、マニフェストは公約であり「自分でやります」というものです。ＪＤは、そうではなく職務が記述された書類です。政治家は選挙の当落で判断されますが、**マニフェストではなくてＪＤがあれば、より正確な評価ができます。**そこで「有言実行」なら問題がないということになります。

これからの人生を自分のものにするのも、また充実した人生をつくり上げるのもあなた次第です。ぜひ、あなた自身のＪＤを作ってみてください。

あとがき

初めてアメリカの地に降り立った時から、ずいぶんと時間が流れました。

その後、ビジネスで日本とアメリカを300往復する中で、情報の流れの速さや世界経済の変化を肌身をもって感じてきました。地球を150周する時間、空で過ごす時間、機内で自分一人の贅沢な時間の中でさまざまなことを考えてきました。

今やスマホ一つで、多くの情報が得られ、仕事も進められる時代です。掌の中に世界はある、とすら言えます。

しかし、そうした時代においても、日本には変わらないことが多く、「失われた30年」などと言われているうちに、多くの国から取り残されていくのではないか、そんな不安を感じることがあります。

かつては「ジャパン・アズ・ナンバーワン」と世界のお手本になり、外国からも賞賛されてきた日本が、今や古い組織やローカルルールで動くために、目も当てられない不祥事を起こしたり、時代の変化に対応できなくなったりして、国民からも不信感を持たれていることは本文で書いた通りです。

今こそ日本全体の仕事との向き合い方を根本から変えないといけないのではないか。そのためにＪＤがとても有効だということを本書では繰り返し提言してきました。第１章でも書いたように、私は日本の仕事に対する報酬は低すぎると思っています。このようなことが続いていると、日本のこれからを担う若い世代は、夢を持って将来に踏み出そうという意欲を持てなくなってしまうのではないでしょうか。安定志向、内向き志向になりがちな若い人たちからは、社会に対して希望が持てなくなっていることを感じます。これは負の連鎖でありアナジーです。

一方で、少子高齢化社会が続く日本では、国内での需要は年々縮小しています。マーケット自体が小さくなっているのです。そして国の借金は積み上がっています。これまでのような内需型産業は立ち行かない中で世界に打って出ることは不可避なのに、それでも私たちは、「日本型（鎖国型）」であることにこだわり続けるのでしょうか。

かつて、意欲ある人たちは世界に打って出ていきました。これからも優秀な人たちは、自分が行っている仕事が世界水準ではもっと評価されているのだということに気付き、専門性を高めて、日本を出ていくと思います。社内のゼネラリストを目指すのか、社外でも通用するスペシャリストを目指すのか、大きな選択肢が私たちの目の前にあります。

実際に、本書の第3章で登場してくれた私の大切な友人たちは、日本企業に飽き足らず、世界に打って出て、自らの可能性をどんどん広げてきました。そこには貢献に応じた適正な報酬が付いてくるので、同世代の日本企業で働いている人と比べて、彼らは良い報酬を得ています。

新卒一括採用、年功序列、終身雇用をいつまで日本企業は続けていくのでしょうか。優秀な人にしっかりと仕事をしてもらい、適切な報酬を支払い、時代の変化に合わなくなったものはスピード感を持って変革していかないといけない。そういったことに古い日本の仕組みは対応できなくなりつつあります。

一人でも多くの人がＪＤの考え方を知り、仕事に向き合ってほしいと願っています。

本書の推薦文を書いて下さった安藤国威様には、若い頃から多くの励ましを頂きました。いつもフランクに声を掛けてくださり、何度も私の背中を押して下さったことに大変感謝をしています。今回、とても素晴らしい推薦文を下さいました。本当にありがとうございました。

第３章では、ＪＤの本質をよく理解している大切な友人に対談相手になっていただき、論理的かつ明晰にＪＤのことを語っていただきました。彼らもまた、世界を舞台に活躍している大切な私の仲間です。

時事通信出版局の坂本建一郎さんには昨年秋から何度もミーティングを行う中で、ＪＤとその背景にある考え方、日本社会や企業が変革できない理由や今後の方向性についして共感してくださったことに感謝しています。

もし本書を読んで私のところへ連絡を下さる方は奥付にある出版社宛てへメールを下さい。できるだけお返事をして、日本を変えるＪＤと共に取り組む仲間となってもらいたいと思っています。

２０２１年７月23日
日本でのオリンピック開会式の日に

岡本　佳文

【著者紹介】
岡本 佳文（おかもと・よしふみ）
1966 年岡山市生まれ。岡山東商、中央大学商学部卒業後、1988 年カナダへ単身渡り 1989 年からアメリカへ。Walt Disney 社をはじめ、アメリカ4大スポーツ NHL、NBA、MLB を含め数々の会社で実績を積み、1996 年にアメリカで独立。アメリカと日本で OSM Internatinal など 3 社を創業し、ライセンス・マーケティングに特化したビジネスを展開する。これまでトヨタ、横浜ゴム等、日米の多くの会社の顧問、コンサルティングを行ってきた。130 年の歴史を持ち、MLB、WBC の公式試合ボールなどで有名な Rawlings 社の日本法人の初代社長& GM として 2011 年から 2016 年まで辣腕を振るう。現在は、アメリカプロ野球球団オーナー、日米にてマーケティングスペシャリストとして活動中。著書に『メジャーリーグに就職する方法』。星野仙一氏と共に米国ニューヨーク州に設立した Hoshino Dreams Corporation 社を通じてプロ野球球団のオーナーとなり、スポーツビジネスを志す若者にインターンシップの場を提供するなど、近年は、実務家経験を生かして、特に日本の未来を担う若者支援、グローバル人材育成に力を注ぐ。

JD 日本《にほん》を変《か》えるジョブディスクリプション

2021 年 8 月 30 日　初版発行

著　者：岡本 佳文
発行者：花野井 道郎
発行所：株式会社時事通信出版局
発　売：株式会社時事通信社
〒 104-8178　東京都中央区銀座 5-15-8
電話 03(5565)2155　https://bookpub.jiji.com/

装丁　重原 隆
本文 DTP　イオック
校正・校閲　溝口 恵子
編集　坂本 建一郎
印刷／製本　太平印刷社

ISBN978-4-7887-1751-0　C0034　Printed in Japan